PREÇO
DE NOIVA

PREÇO DE NOIVA

BUCHI EMECHETA

2ª impressão

Tradução
Julia Dantas

Porto Alegre · São Paulo
2021

Copyright © 1977 Buchi Emecheta
Título original: *The bride price*

CONSELHO EDITORIAL Gustavo Faraon e Rodrigo Rosp
PREPARAÇÃO Carlos André Moreira
REVISÃO Raquel Belisario e Rodrigo Rosp
CAPA E PROJETO GRÁFICO Luísa Zardo
FOTO DA AUTORA Valerie Wilmer

**DADOS INTERNACIONAIS DE
CATALOGAÇÃO NA PUBLICAÇÃO (CIP)**

E53p Emecheta, Buchi.
 Preço de noiva / Buchi Emecheta ; trad. Julia
Dantas. — Porto Alegre: Dublinense, 2020.
 224 p. ; 21 cm.

ISBN: 978-65-5553-011-7

1. Literatura Africana. 2. Romances Africanos.
I. Dantas, Julia. II. Título.

CDD 869.3

Catalogação na fonte:
Ginamara de Oliveira Lima (CRB 10/1204)

Todos os direitos desta edição
reservados à Editora Dublinense Ltda.

EDITORIAL
Av. Augusto Meyer, 163 sala 605
Auxiliadora • Porto Alegre • RS
contato@dublinense.com.br

COMERCIAL
(51) 3024-0787
comercial@dublinense.com.br

Para minha mãe,
ALICE OGBANJE EMECHETA

SUMÁRIO

1. O preço de noiva — 9
2. Morte — 19
3. O enterro — 39
4. Retorno a Ibuza — 59
5. A vida em Ibuza — 77

6. Tradições — 95

7. Os escravos — 109

8. Um tipo de casamento — 131

9. Fuga — 165

10. Providência tentadora — 189

O PREÇO
DE NOIVA

ku-nna encaixou a chave na fechadura, virou para um lado e para o outro, empurrou a porta pintada de branco até abrir e ficou ali, muito imóvel. Pois bem no meio da sala estava o pai deles, encarando-os de volta, sem palavras. Parado, o chapéu nas mãos, devidamente uniformizado nas roupas cáqui de trabalho e com a aparência de um criminoso pego roubando.

Aku-nna e o irmão, Nna-nndo, entraram no apartamento de um cômodo, ainda observando-o, mudos na exigência de uma explicação. Você deveria estar no trabalho, seus olhares silenciosos pareciam dizer. Você não pode estar aqui; você tem que estar no pátio da locomotiva com seus colegas e não aqui de pé no meio da sala nos assustando desse jeito. Mas se o pai deles tinha qualquer explicação para dar, estava ganhando tempo.

O menino Nna-nndo tinha onze anos. Ele era alto para a idade, com a estrutura estreita da mãe. Na escola, tinha acabado de começar a usar tinta e estava determinado a contar isso para todo mundo. Escrever à tinta era para ele uma conquista acadêmica, pois, apesar de ser muito inteligente em outras artes, ele era bastante lento no estudo com os livros. Os dedos dele sempre se sujavam com a tinta: ela pingava da garrafa nas suas mãos e um pouco no uniforme cáqui da escola. Um outro tanto ele até esfregava nos seus cachos lanosos e, se você perguntasse por que ele fazia isso, ele responderia: "A tinta deixa meu cabelo mais preto". Ele tinha um bom senso de humor, igual à mãe deles, Ma Blackie.

Ma Blackie era uma mulher imensa. Ela era tão alta e aprumada que seus poucos inimigos a chamavam de "mulher palmeira". Sua pele retinta tinha lhe valido o apelido de "Blackie, a Preta" quando ela era pequena, e nada nela tinha mudado muito agora que tinha a sua própria família. De fato, sua negritude estava ainda mais reluzente. Então os vizinhos e amigos adicionaram o respeitoso título de "Ma" ao seu nome, e ela se tornou "Ma Blackie", não apenas para os seus filhos, mas para todo mundo. Se você fosse até a Rua Akinwunmi e dissesse que estava procurando por uma "Ma", um título compartilhado por muitas mulheres, seu interlocutor provavelmente perguntaria "será que você está falando da Ma Blackie?".

Entretanto, Ma Blackie, apesar de estar sempre rindo e ser alegremente barulhenta, tinha um problema familiar. Ela estava demorando demais para engravidar de novo. Desde que seu marido retornara da Birmânia, havia uns cinco anos, ao final da guerra, ela não engravidara como as outras esposas de maridos que tinham ido ao exterior lutar contra Hitler. O marido dela, Ezekiel Odia, a levou a todos os médicos nativos pelos quais ele podia pagar em Lagos, mas, mesmo assim, nada mais de filhos. Ele chegou a incentivá-la a se unir à seita Querubins e Serafins. Aquelas pessoas balbuciavam suas orações a Deus de um jeito frenético, mas que de nada serviram. Ma Blackie não estava grávida. Em desespero, ela decidiu ir à cidade natal deles, Ibuza, para apaziguar a deusa do Rio Oboshi e convencê-la a lhe dar bebês.

Enquanto Ma Blackie estava em Ibuza recarregando sua fertilidade, Aku-nna e Nna-nndo foram deixados para cuidarem de si mesmos e do seu pai. Ezekiel Odia, que eles com frequência chamavam de "Nna", a palavra igbo para pai, precisava manter seu emprego no pátio da locomotiva, onde trabalhava como o chefe da fundição. Esse cargo de responsabilidade lhe fora dado como sinal de respeito por ter ido à guerra, e ele o valorizava de corpo e alma. Acordava muito cedo todas as manhãs, ziguezagueava pelo único quarto acordando a todos os demais e, em meio à afobação, derrubava uma coisa, pegava outra, gritava procurando uma terceira com a sua voz pequeninha. De tamanho, ele também era pequeno, e as pessoas se perguntavam como ele foi casar com uma mulher tão gigante. A resposta talvez fosse que, como a maioria dos homens igbo da sua geração, ele tinha tomado sua esposa quando ela ainda era uma menina; o problema com a noiva do Ezekiel foi que ela pareceu nunca parar de crescer. Entretanto, esse desequilíbrio natural não causou nenhum incômodo no casamento. Tudo que ele fez foi levar Ezekiel Odia a adquirir um jeito estranho de ficar na ponta dos pés quando ia defender seus pontos de vista.

Então, nesse dia em particular, quando os dois filhos tinham corrido da escola para casa esperando encontrar a sala vazia de sempre, eles ficaram atordoados ao flagrar o pai ali de pé, no meio da sala, os olhos injetados e com linhas vermelhas que se cruzavam como minúsculos vermes dentro deles. Ele estava nervoso, puxando e retorcendo seu velho chapéu de feltro, ainda indeciso sobre o que dizer aos filhos e como começar.

Aku-nna chegou mais perto. Ela tinha apenas treze anos, mas percebera há bastante tempo que nem tudo estava bem na família. Em muitas ocasiões, ela escutara outras mulheres do conjunto habitacional fazerem canções sobre a falta de filhos de Ma Blackie. Ela ouviu repetidas vezes Ma Blackie e Nna discutindo por causa desse grande problema da falta de filhos. Nna não parava de tagarelar, falando com aquela sua vozinha triste, dizendo a Ma — relembrando-a — que ele tivera que pagar o dobro do preço de noiva normal antes de poder fazer de Ma a sua esposa. Ele se irritava, sua vozinha choramingava como um cachorro faminto, e depois ele se erguia na ponta dos pés, talvez com isso esperando aumentar a sua estatura, e relembrava Ma Blackie que, por ter pago esse alto preço de noiva, ele tinha feito o casamento deles ser santificado pela Igreja Anglicana. E o que ele tinha recebido em troca de tudo isso: um único filho!

Aku-nna sabia que era muito insignificante para ser considerada uma bênção nesse casamento desafortunado. Não bastasse ela ser uma menina, ela era magra demais para os parâmetros dos seus pais, que prefeririam ter uma garotinha forte e rechonchuda. Aku-nna simplesmente não ganhava peso, e isso a fazia parecer sempre faminta; mas ela só não tinha o tipo saudável de apetite que seu irmão, Nna-nndo, tinha. E ainda havia outras desgraças que ela derramava sobre a família. Se uma criança na outra ponta da Rua Akinwunmi tivesse catapora, era certo que Aku-nna ia pegar; se alguém nos fundos do quintal tivesse malária, Aku-nna também teria. Para ela, a vida era uma sequência de hoje pé, amanhã cabeça, depois pescoço, a tal ponto que a mãe dela muitas vezes lhe suplicara que decidisse de uma vez por todas se ela ia viver ou morrer. Uma coisa que Ma Blackie não podia suportar — ela repetia sem parar — era uma "morta-viva", uma ogbanje.

Ezekiel Odia com frequência sentia pena da filha, particularmente porque ela puxou mais a ele do que à amazona da sua esposa. Ela era pequena, Aku-nna; sim, não tanto na altura quanto na estrutura óssea, e ela não era nem um pouco escura, sua pele tinha aquela cor marrom pálida de quando se coloca leite demais no chocolate. Os olhos dela eram grandes como os do pai, mas abertos e translúcidos; o marrom desses olhos sempre tinha um brilho especial quando ela estava feliz e animada; quando ela ficava triste, o fulgor desaparecia. Ela não tinha desenvolvido as encruzilhadas vermelhas que o pai tinha no branco dos olhos, mas Ezekiel sabia que, exceto pelo fato de que ela prometia ser uma mulher bastante alta, a filha era igualzinha a ele. Ele a nomeara Aku-nna, que significava, literalmente, "riqueza do pai", sabendo que o único alívio com o qual ele podia contar vindo dela seria o preço de noiva. Para ele, isso era algo pelo que ansiar.

Aku-nna, por sua parte, estava determinada a não decepcionar o pai. Ela ia casar bem, com um homem rico que seu pai aprovaria e que poderia pagar um alto preço de noiva. Primeiro, ela teria o casamento solenizado pelas lindas deusas de Ibuza, depois os cristãos cantariam para ela uma marcha nupcial — "Lá vem a noiva" —, depois o pai dela, Nna, convocaria os espíritos dos seus tataravós para guiá-la e, depois de tudo isso, e apenas depois de tudo isso, ela deixaria a casa do pai.

Mas naquele dia quente, quando o sol estava deitando o seu fogo inclemente sobre as cabeças desprotegidas das crianças voltando da escola, quando o calor estava tão intenso que o chão parecia ter sido cozido e depois assado, quando o calor invadia os pés descalços dos africanos trilhando seus tantos caminhos a diversos destinos, quando o ar estava tão imóvel, tão sem água, tão sem seiva, que a transpiração precisava brotar dos corpos humanos para neutralizar a temperatura — Aku-nna esqueceu de todos os pensamentos sobre seu preço de noiva e sentiu uma espécie de proximidade que ela não sabia nomear vinculando-a ao seu pai. Ela chegou mais perto dele e observou uma grande gota de suor abrindo caminho, como uma serpente, ao descer o dorso do nariz de Nna; chegando, então, à parte larga onde o nariz formava duas narinas negras em forma de funil, esse grande curso de transpiração hesitou um momento e, assim como o grandioso Rio Níger se parte em afluentes, dividiu-se em linhas menores. Uma ou duas das minúsculas linhas desaguou na boca de Nna. Ele não as lambeu; mas enxugou.

Depois ele falou, com a voz muito grossa: "Eles querem que eu vá ao hospital para ver meu pé. Não devo demorar. Vou estar de volta para a refeição da noite".

As crianças olharam para baixo na direção do pé doente do pai. Aquele pé idiota, Aku-nna pensou para si mesma, sempre causou muitos incômodos ao pai. Era resultado da guerra. Isso ela tinha ouvido de muitos dos seus parentes, especialmente do velho tio Richard, que também fora à guerra. Mas ele era mais comunicativo que o pai deles. O tio Richard contou para as crianças que os britânicos brancos não conseguiam suportar o pântano na Birmânia e na Índia, então eles fizeram soldados da África Ocidental os substituírem. O pai deles tivera sorte de voltar vivo, ele disse às crianças, porque muitos soldados africanos morreram, não pelas bombas de Hitler, mas por causa das condições a que foram submetidos. Eles eram ou devorados por mosquitos na selva birmanesa ou picados por cobras aquáticas na Índia. Aku-nna não sabia qual dessas calamidades tinha de fato acometido o seu pai, mas um dos pés dele tinha uma cicatriz horrível, resultado de uma má recuperação, e esse pé costumava ficar inchado sempre que o tempo mudava. Ele já fora engessado, recebera inúmeras injeções de medicamentos pelo médico da empresa ferroviária, recebera orações, mas, ainda assim, o pé inchava de vez em quando. Agora a perna voltara a causar dor em Nna, e essa tensão aparecia por mais que ele tentasse escondê-la. Havia um leve inchaço no outro pé também, mas ambos os pés estavam calçados num par de sapatos cáqui de trabalho e não aparentavam estar tão mal em comparação a como eles geralmente ficavam na temporada de chuvas. Então por que Nna parecia tão infeliz? Se tudo que ele faria era ir até o hospital na ilha de Lagos para um exame de rotina, e se ele ia voltar para a refeição da noite, por que ele parecia tão culpado, tão perturbado?

Aku-nna não perguntou ao pai em voz alta, mas esses pensamentos estavam na sua cabeça, desordenados e persistentes. Ela suspirou de alívio, entretanto, já que não havia motivo de alarme. Nna estaria de volta para a refeição da noite. Se ela fosse adulta, teria dado uma bronca nele dizendo: "Mas você nos assustou tanto! Parado aí como se tivesse visto um fantasma". Mas na Nigéria não se pode falar assim com um adulto, especialmente com o próprio pai. Vai contra as prescrições da cultura. Apesar disso, algum pequeno instinto maternal nela a fez pensar que o pai poderia precisar de um pouco de conforto. Ela estava agora tão perto que podia tocar nele.

Ela pousou sua pequena mão sobre a dele e disse: "Vou fazer sopa Nsala para você, muito quente, com muita pimenta, e o purê de inhame que vou preparar para acompanhar não vai ter nenhum caroço. Então, Nna, volte depressa para casa para comer sua refeição da noite ainda quente. Eu sei que você não gosta dela fria".

Nna sorriu. Seus olhos avermelhados se concentraram na filha, os cantos dos olhos formavam pequenas rugas, e os dentes brancos brilhavam. Por um momento, a expressão abatida no seu rosto doente e inchado desapareceu.

"Obrigado, minha pequena filha, mas não cozinhe mais inhames do que você pode amassar. Aquele pilão é pesado demais pra você. Não bata muito". Ele pegou o seu chapéu de feltro do trabalho, que tinha deixado sobre uma cadeira, e o ajustou à cabeça raspada, puxando a aba um pouco para baixo, na frente dos olhos, e então afofando as laterais no formato certo. "A chave do armário grande está na minha calça cinza: você sabe, a que está pendurada no cabide da parede. Se quiser dinheiro, pegue no armário, mas cuide muito no que vai gastar, porque você tem que fazer durar por muito tempo".

Se as crianças chegaram a pensar consigo mesmas "mas você volta a tempo da refeição de hoje de noite", ficaram com medo demais para dizer. Pois, não apenas seria rude, mas também o rosto de Nna, depois do breve sorriso, tinha assumido as feições definitivas de uma porta fechada. Ele ficou brusco, como alguém que se prepara para uma partida final. Suas mãos, escurecidas por anos de trabalho na fundição da ferrovia, tocavam aqui e ali, agarrando coisas e as soltando em seguida. Ele pediu que se comportassem com a mãe deles e que respeitassem todos os adultos. Ele disse que deveriam tentar honrar o nome dele, pois se importava com eles, pois eles eram a sua vida.

Por fim, Nna foi até a porta, dizendo que precisava ir agora. E então acrescentou: "Lembrem sempre que vocês são meus".

Seus lábios pequenos estavam tremendo e ele os apertou com firmeza, como se estivesse tentando conter o choro de modo desesperado. Involuntariamente, como se hipnotizadas e sem poder de escolha, as crianças se aproximaram; seus jovens olhos seguiam os movimentos dos olhos do pai, que agora tinham se tornado tão grandes que pareciam se destacar em relevo na sua testa negra em vez de ficarem dentro da sua cabeça. Ele agia como se tivesse pressa. Acariciou a cabeça cheia de tinta de Nna-nndo, tocou de leve a bochecha de Aku-nna e atravessou a porta.

As crianças o seguiram, querendo implorar que ele ficasse e explicasse o que isso significava, esse mistério, esses suspiros de despedida, essa tristeza. Mas Nna não esperou. Ele correu como se os deuses o estivessem chamando, como se o chamado fosse iminente e ele precisasse atender ou ser condenado.

As crianças ficaram ali na varanda, agarradas aos pilares para terem apoio, resfriando as suas bochechas quentes contra a superfície de cimento, e apenas observaram fixamente.

Nna atravessou a rua não asfaltada em frente à casa deles, com seus sapatos de lona marrom fazendo rangidos contra os quentes pedregulhos vermelhos. Um caminhão de caçamba aberta vinha sacudindo desde a outra ponta da rua, chiando sob o peso da madeira amarrada na parte de trás. Os madeireiros, que se seguravam nas cordas com as quais as madeiras estavam amarradas, suavam profusamente nas costas nuas e brilhantes. Conforme o caminhão passou, ele levantou uma nuvem de poeira no seu encalço, cobrindo Nna. Ele não se virou para ver se os filhos o estavam olhando, apenas prosseguiu. A poeira da carreta o encobriu por completo e, quando finalmente baixou, parecia que ela o tinha engolido, assim como aquele profeta Elias, na Bíblia, foi devorado na sua carruagem de fogo.

A rua logo ficou vazia. Sua cor vermelha serpenteava entre as casas de um piso e chegava a um fim abrupto na frente de um casarão localmente conhecido como O Clube.

As crianças observaram o vazio da rua por um momento, sentiram pontadas de fome e decidiram que era hora de entrar para comer.

"Lembrem sempre que vocês são meus", Nna tinha dito.

MORTE

na ainda não tinha voltado, conforme prometera que faria. Aku-nna tinha preparado a refeição da noite e esperava pacientemente, na esperança de que o pai elogiaria seus esforços na cozinha quando voltasse. Ela tinha realmente se dedicado mais que o normal esmurrando aquele inhame, verificando com cuidado que ele estava liso e macio antes de retirá-lo do pesado almofariz de madeira. Depois ela tinha esperado quietinha, ao lado da tigela de purê de inhame e da sopa Nsala recém-feita para Nna. Nna não veio para casa.

Logo ficaria muito escuro e Aku-nna e seu irmão nunca tinham dormido sozinhos naquele quarto antes. Ela estava começando a ficar preocupada e decidiu que, se Nna demorasse ainda mais, ela ia contar para os vizinhos. Ela sabia que os vizinhos cuidariam deles, pois naquela parte do mundo todos são responsáveis pelo próximo.

Ela estava sentada de pernas cruzadas entre os dois pilares da varanda, observando as pessoas que passavam a caminho de buscar água para a manhã, quando viu uma figura que se parecia ao tio Uche caminhando lentamente na direção da casa. Tio Uche, o filho do irmão mais velho de Nna, também era um homem pequeno, mas, ao contrário de Nna, ele nunca se apressava. De fato, a atitude vagarosa de Uche perante a vida tinha sido a causa de uma briga entre ele e Nna — uma briga tão grande que eles terminaram a socos, e Uche teve que sair de casa para viver com amigos. Aku-nna não o via desde então, e isso tinha acontecido havia muito tempo. Agora ali estava ele vindo para a casa deles e, ainda por cima, o tio Joseph vinha com ele.

Aku-nna não sabia como recebê-los. Nna não gostava do tio Uche e, quanto ao tio Joseph, ele era conhecido como o jornal local. Ele não fazia nada além de falar da vida dos outros o tempo todo. Ma Blackie uma vez disse que, se Joseph viesse visitar e você servisse a ele uma calabaça de vinho de palma, ele iria embora e diria a todo mundo que você era tão pobre que não possuía nem copos e não tinha condições para oferecer cerveja. Ma Blackie também dizia que, se uma mulher estivesse bem vestida, Joseph contaria a seus amigos que ele tinha certeza de que a mulher tinha outro homem além do marido. Então Aku-nna tinha medo da língua do tio Joseph; só Deus sabia que histórias ele poderia inventar a respeito de qualquer um. Ela se sentiu aliviada que os dois, Uche e Joseph, tinham decidido fazer uma visita quando Nna não estava, pois era impossível prever o temperamento de Nna. Ele poderia ter jogado uma faca neles ou algo assim.

Ela se recompôs e correu para encontrá-los. Estava tão feliz de finalmente ver parentes para quem ela poderia confidenciar suas preocupações atuais que se esqueceu completamente da inclinação do tio Joseph para as fofocas e da preguiça do tio Uche. Ela disse, sem que eles perguntassem, que seu irmão, Nna-nndo, ainda estava fora, brincando, e que ele só estava na rua tão tarde porque sabia que Nna tinha ido ao hospital na ilha para um exame.

"Até parece que Nna vai ficar lá o dia inteiro, pelo jeito que Nna-nndo está se comportando", ela disse. "Ele vai levar uma bronca quando Nna voltar".

Ela fez uma pausa e olhou para seus tios, mas não conseguia interpretar nada nos seus rostos. Eles pareciam um pouco solenes, talvez, mas ela não se importou. Às vezes os adultos só estavam tristes e, quando você perguntava o porquê, eles diziam que você era jovem demais para entender ou que crianças comportadas não faziam perguntas demais. Se ela era jovem demais para entender o significado das expressões desanimadas, Aku-nna não era jovem demais para balbuciar suas esperanças de que o pai voltaria logo. Pois ela não tinha cozinhado uma refeição da noite especial? Conduzindo os homens à sala, ela mostrou a eles o purê de inhame e a apimentada sopa Nsala que ela havia preparado, explicando que ela tinha tapado a comida com cuidado com o melhor antimacassar de Ma Blackie porque seu pai não gostava da refeição fria.

O tio Uche não sorriu; ele sentou pesadamente, dizendo que ela havia se saído muito bem. O tio Joseph, por sua parte, olhava para ela com algo como preocupação enquanto se abaixava para sentar numa das cadeiras marrons, cadeiras que tinham o espaldar alto e estruturas primitivas. Ele disse que queria água, então Aku-nna se esgueirou até a prateleira atrás da cortina e trouxe o melhor copo de Ma Blackie, que era feito a partir de uma garrafa cortada, já que copos de verdade ainda estavam em falta depois da guerra. Ela serviu um pouco de água da moringa de barro, que era coberta de desenhos de palmeiras, e entregou o copo ao tio Joseph. Ele bebeu em goles rápidos, seu pomo de adão se agitando para cima e para baixo conforme ele engolia, e então pediu mais. Ele devia estar com muita sede. Foi o que Aku-nna pensou consigo mesma enquanto se apressava em obedecer, rezando para que o tio Uche não quisesse também, ou não sobraria água fria para quando Nna voltasse para casa. Graças aos céus, o tio Uche não pensava em pedir água, mas o que ele disse foi muito inoportuno para ela.

"Seu Nna não vai voltar hoje à noite. Ele vai ficar no hospital por algum tempo. Eles estão tentando descobrir o que há de errado com os pés dele para que inchem tanto: se é por causa da picada de cobra, ou se é porque o pântano onde ele teve que ficar de pé por tanto tempo quando estava lutando na Birmânia fez os ossos apodrecerem. Ele não vai ficar muito tempo, mas é melhor que descubram a causa agora e tratem, em vez de deixar que ele continue com o tipo de dor interminável que vem enfrentando nos últimos dias. Vou ficar com vocês até que o seu Nna volte, pois ele quis assim".

Aku-nna abriu a boca e fechou de novo. Seu Nna tinha dito que só ficaria lá por algumas horas; ele tinha pedido que ela preparasse sua refeição da noite porque ele estaria de volta na hora do pôr do sol. Mas Nna nunca disse uma palavra sobre suas dores — bom, Nna não tinha contado sobre muitas, muitas coisas. Ela se sentiu traída. Por que, oras, por que ele contou a verdade ao tio Uche e mentiu para ela? Ela quase odiou seus dois tios por saberem o que ela não sabia da sua própria família. O que ela ainda precisava aprender era o fato de que sua gente, o povo de Ibuza, tem o que os psicólogos chamam de mentalidade de grupo. Todos se ajudam quando têm problemas ou necessidades, e o sistema de família estendida ainda funcionava mesmo numa cidade como Lagos, a centenas de milhas de Ibuza. É um povo que pensa parecido, suas maneiras são parecidas, tanto que não ocorreria a ninguém se comportar e agir de modo diferente. Mesmo que Nna não tivesse contado ao seu sobrinho Uche, teria sido responsabilidade de Uche descobrir e tomar conta dos seus jovens primos. Que Aku-nna não soubesse disso era porque ainda era uma criança, e seu pai adivinhava que ela estava crescendo para se tornar o tipo de jovem mulher que não apenas desejaria dar tudo a quem ela amasse, mas que também se preocuparia com as pessoas amadas. Ele não queria que a filha sofresse nem se preocupasse desnecessariamente. Aku-nna sabia que havia um tipo de vínculo entre ela e o pai que não existia entre ela e a mãe. Ela amava o pai e ele retribuía tanto quanto os costumes permitiam — afinal, ela não era apenas uma menina? Uma menina pertence a você hoje, como filha, e amanhã, diante dos seus olhos, irá para outro homem no casamento. Com essas criaturas, é preciso ter cautela e não demonstrar amor e cuidado demais, ou as pessoas perguntariam: "Veja, amigo, você vai ser também o marido da sua filha?". Apesar de tudo isso, Aku-nna sabia que tinha um lugar especial no coração do pai. Ela não ia demonstrar aos dois tios como se sentia, que se sentia traída e que temia pelos pés, pela saúde e pela vida do pai. Ela fez uma cara corajosa, mas as emoções transpareciam em seus olhos grandes e assombrados; eles estavam úmidos, as lágrimas não estavam longe.

Ainda a surpreendia, entretanto, que Nna tinha organizado para que Uche, que ele dizia ser preguiçoso e letárgico como uma mulher à espera de gêmeos, ficasse encarregado dos seus filhos. E

Uche estava obedecendo, mesmo que Nna tivesse quase cortado fora uma de suas orelhas num dia em que Uche tinha incomodado tanto que Nna não conseguiu controlar seu temperamento.

Aku-nna lembrava bem daquele dia. Nna tinha voltado para casa para a refeição do meio-dia e visto Uche sentado em uma das cadeiras dele, com o cabelo e o corpo bem alinhados e cheirando a óleo de coco. Ele estava sentado ali, o tio Uche, cantando a partir do livro de hinos da Igreja da Sociedade Missionária. Nna chamou o nome dele com uma voz tão áspera quanto um motor enferrujado. A princípio, Uche não respondeu, e Nna foi tomar o copo que tinha sido servido para ele sobre a mesa de refeições. Ele o chamou de novo, dessa vez com uma voz mortífera como a de um leão feroz pego numa armadilha de caçador. Uche pulou, assim como Aku-nna e também seu irmão, Nna-nndo, que estava ali a postos, esperando que Nna deixasse para ele um pedaço de carne, como ele costumava fazer (pois, de acordo com os costumes, nenhum pai deve terminar com toda a comida do seu prato: ele deve deixar um pedaço de carne ou peixe para que seus filhos compartilhem). Nesse dia, Nna-nndo pressentiu problemas e se afastou na direção da porta. Então Nna falou:

"O que está fazendo aqui, Uche-nna?". Uche-nna, que significa "pensamentos do pai", era o nome completo do tio Uche, e, quando Nna chamava alguém pelo nome completo, era sempre mau sinal. "O que você está fazendo aqui?", ele perguntou de novo, chegando mais perto, seus olhos vermelhos como os frutos de palma.

"Nada, só cantando", Uche tinha respondido, estremecendo como folha de bananeira em meio a um terrível tornado.

"O que quer dizer com *nada, só cantando*?".

Antes que Uche pudesse abrir a boca para se explicar, o copo de Nna voou e se arrebentou contra a parede atrás do tio Uche. As crianças gritaram, e um maquinista chamado Abosi, um homem igbo de Owerri que, assim como Nna, tinha ido à casa dele para a refeição do meio-dia, correu para dentro da sala bem a tempo de tirar o tio Uche de cena, pois Uche também estava cego de raiva e reagia a Nna como um touro enfurecido.

"O que você vai fazer?", Abosi, que era um homem muito alto, perguntou a Uche, "lutar contra seu pai pequeno?". Entre os igbo, um parente homem de mais idade, que cuida de você como um pai, é referido como seu "pai grande", se ele for mais velho que seu pai natural. Nna era mais novo que o pai de Uche.

Naquele mesmo dia, Uche deixou a casa para sempre, porque Nna afirmava que não podia suportar vagabundos.

Conforme todos esses pensamentos atravessaram a mente de Aku-nna, ela teve certeza de que Uche ia se vingar em cima dela e do irmão. Mas o rosto do tio Uche não parecia aquele de um homem inclinado à vingança. Ele parecia não apenas pesaroso, como preocupado. Quando ele falou, foi muito, muito devagar, com uma voz espessa e entristecida, dizendo a Aku-nna que ir a um hospital não significava morrer, que o pai dela voltaria para eles em um ou dois dias, que ela não deveria chorar nem sentir medo, porque não havia nada a temer. Aku-nna estava pasma; seu tio parecia estar sofrendo também, sofrendo por causa do pai dela.

As pessoas de Ibuza têm um provérbio que diz que as brigas entre parentes ficam só na superfície da pele, elas nunca penetram até os ossos. Eles têm outro ditado, que diz que, no dia de parentes de sangue, os amigos se vão. Este dia, então, era um dia de parentes de sangue. Aku-nna estava aprendendo.

Tudo isso acontecera havia três semanas e Nna ainda não tinha regressado do hospital para casa.

Ma Blackie tinha enviado um telegrama de Ibuza pedindo que confirmassem o boato que ela ouvira de que seu marido estava doente. Membros da família de Nna em Lagos tinham decidido não contar a ela a verdade.

Por meio de Nna Beaty, a mãe de Beaty, uma amiga de Ma Blackie, que por acaso estava a caminho de Ibuza naquele momento, eles disseram a ela que não se preocupasse, que seus filhos estavam sendo bem cuidados, que seu marido só ficaria no hospital um ou dois dias e logo sairia. Ela foi fortemente aconselhada a direcionar suas atenções ao importante trabalho que ela fora realizar em casa: pacificar a deusa do Rio Oboshi para que lhe concedesse mais filhos e filhas. Ela não deveria se preocupar nem um pouco com sua família em Lagos, pois o que havia para se preocupar? Não estava Uche cuidando das crianças em nome dela? Então Ma ficou em Ibuza.

"Faz exatamente três semanas que Nna foi ao hospital", Aku-nna pensou consigo mesma, sentada sobre o tapete aberto no chão do quintal dos fundos. Ela não tinha certeza sobre quem havia aberto o tapete ali — talvez a mãe de Ndidi ou a mãe de Azuka —, mas, como o tapete estava limpo e não tinha ninguém nele, ela se sentou ali, de pernas cruzadas, como meninas bem-educadas devem fazer. Você aprende desde criança que, quando senta, você deve dobrar o tecido da sua lappa, chamada iro em iorubá, no formato de uma pipa, de modo que uma ponta dela fique entre as suas pernas, cobrindo seu sexo. Cruzar as pernas era um acréscimo de dupla segurança para o caso do efeito pipa não ter alcançado o resultado desejado; quando uma menina se sentava de pernas cruzadas, era para evitar os olhares curiosos e intrometidos de jovens rapazes.

Aku-nna olhava os criados da casa jogando damas. Ela se perguntava agora quando seu pai voltaria e quando sua mãe voltaria. Por um momento ela tinha apreciado o papel de pequena senhora da casa, mas agora estava cansada disso. Ela havia chegado ao estágio em que daria tudo para voltar da escola e encontrar a mãe, Ma Blackie, sentada na varanda, trançando o longo cabelo preto e brilhante, dizendo que eles iam comer sua sopa preferida, de agbona. Aku-nna adorava aquela sopa e comia o máximo que podia sempre que Ma Blackie cozinhava; agbona é um vegetal viscoso como o quiabo e torna muito fácil a deglutição do inhame amassado, além de ser delicioso. Ela ansiava também pelo dia em que ela poderia correr para encontrar o pai na volta do trabalho e ser reconfortada por ele quando reclamasse que a mãe a tinha xingado ou batido nela. Ela queria que tudo voltasse a ser como antes. Tudo parecia ter mudado tanto em apenas um mês, ela pensou, exceto talvez o sol e a lua e as estrelas. Eles continuavam iguais, surgindo ou desaparecendo atrás das nuvens nos seus momentos apropriados.

Nessa tarde em particular, o sol redondo que estava caindo atrás da cozinha no quintal dos fundos parecia de fogo tanto na cor quanto na intensidade. O céu azul estava lindamente decorado com nuvens de algodão, todas fofinhas e de formas incertas. Alongadas sombras humanas anunciavam a proximidade da noite. Do pátio das locomotivas, perto dali, vinha o som penetrante de uma sirene; uma arma foi disparada em algum lugar nas docas e todos sabiam que eram quatro horas. Quatro era o horário em que todos os trabalhadores braçais iam para casa. Era o horário em que todas as donas de casa paravam de trançar o cabelo, quando encerravam as fofocas, porque seus homens logo estariam em casa, famintos, cansados e irritadiços; então as mulheres corriam para a cozinha a fim de preparar a refeição da noite. Quatro da tarde era um horário muito importante nas vidas das famílias de homens que trabalhavam nas locomotivas. Na casa em que Aku-nna e seus pais viviam, alguns dos criados tinham marcado a posição do sol às quatro horas, para o caso de, por algum motivo, eles não ouvirem a sirene ou o tiro da arma: às quatro, no horário padrão da África perto da linha do Equador, o sol pousaria sobre aquela linha desenhada com carvão no lado de fora da parede da cozinha.

A correria para as cozinhas tinha agora começado. Donas de casa carregavam suas panelas pretas de ferro numa mão e os inhames que iam socar em seus vários pilões na outra. Os criados ajustavam suas bermudas esfarrapadas e abandonavam o tabuleiro de damas afobados para preparar a comida dos patrões. Aku-nna sentou ali no tapete, observando todos do jeito que um forasteiro faria — um forasteiro que desejava pertencer ao agito e à urgência, mas não podia, já que ela não tinha pelo que se apressar. Ela não podia correr até a cozinha para encontrar o pai, pois Nna não voltaria para casa às quatro; ela não podia correr para cozinhar para um marido, pois, apesar dela estar quase com catorze anos, seu pai não queria saber dela casar cedo. Então ela ficou sentada ali, sem propósito, como se a vida dela tivesse chegado a um súbito fim.

Dick, um dos meninos, disparou um estranho olhar de coruja para ela e desviou os olhos muito rapidamente. Aku-nna se perguntou por que, uma vez que os meninos normalmente implicavam com ela até levá-la às lágrimas, mas o olhar que Dick lhe dirigia no seu trajeto afobado para a cozinha era cheio de compaixão. Ela tentou esquecer do assunto e ocupou a cabeça com o bando de criados. A maioria dos "grandes homens" igbo em Lagos tinha começado como criado. Até seu Nna tinha sido criado do bispo Onyeaboh; ela tinha visto uma fotografia do devoto bispo, sorrindo benevolente em suas túnicas de igreja em preto e branco. Se você fosse um jovem rapaz de quinze anos, mais ou menos, iria morar com um parente solteiro, talvez um tio ou um primo. Você limparia, cozinharia e lavaria as coisas para ele e, como pagamento, seria alimentado, vestido com os descartes do patrão e, com sorte, até frequentaria aulas noturnas para aprender um ofício que lhe permitiria ganhar a vida. O patrão usaria esse período para economizar para o preço de noiva com quem ele, em algum momento, se casaria, e para adquirir móveis e roupas. Na maioria dos casos, a chegada da noiva trazia atritos: o menino queria controlar a vida doméstica e a noiva queria fazer a mesma coisa. A noiva em geral ganhava e então o menino ia embora em busca do seu próprio destino em outro lugar. Era sempre assim, e ainda é hoje em dia, entre os igbos em Lagos. É uma daquelas normas não escritas que vieram para ficar.

Inconscientemente, Aku-nna verificou a parede da cozinha para ver se o sol tinha cometido um erro dessa vez, mas não tinha. O reflexo pousava perfeitamente sobre a linha de carvão. De repente, a estridente voz da tia Uzo invadiu seus pensamentos.

"Aku-nna, Aku-nna, ooooo".

"Sim, titia!", ela gritou de volta, ficando de pé num pulo e se voltando para a direção de onde vinha o grito. Ela viu a tia se aproximar. "Estava me procurando? Eu estava sentada aqui", a voz de Aku-nna soava como um pedido de desculpas, "sem fazer nada".

A tia Uzo chegou mais perto e a cumprimentou em silêncio. "Que bom que enfim te encontrei". Ela parecia cansada, como se o sol ardente tivesse espremido até a última gota de vida dela.

O olhar de Aku-nna perambulou até o robusto nenê que Uzo carregava na lateral do corpo. Ele estava mergulhando as mãos gordinhas dentro da folgada blusa nigeriana da mãe, procurando pelo peito dela. A blusa estava obviamente obstruindo seus movimentos, então ele empurrou a cabeça lanosa para baixo dela também, até que conseguiu pegar um dos seios com sua boca faminta. Uzo, para ajudá-lo, dobrou a blusa até o pescoço e entregou a ele um pendular seio direito. Dessa vez, o nenê agarrou adequadamente e começou a sugar com ganância, sacudindo o pé gordo ao ritmo do seu contentamento, balançando-o para cima e para baixo numa brincadeira agitada. Um pouco do leite que voltou da sua garganta escapou pelos cantos dos lábios e gotejou até as dobrinhas de gordura do seu pescoço. Uzo olhou para o bebê e depois, de modo cúmplice, para Aku-nna, e as duas sorriram quase simultaneamente.

O sorriso espontâneo tirou o cansaço do rosto da tia Uzo que, por um momento, ficou sem rugas. Depois, tão de repente quanto o sorriso tinha aparecido, ele desapareceu de novo, e o rosto assumiu seu habitual visual estreito. Não que a tia Uzo fosse uma mulher idosa; ela era de fato muito jovem, e o bebê Okechukwu era seu primogênito. Ninguém sabia com certeza, entretanto, quando Uzo tinha nascido. Mas, como o bebê tinha dezoito meses, ela provavelmente estava entre os dezesseis e os dezoito ou dezenove anos de idade. Ela tinha sido trazida de Ibuza para Lagos para casar com seu marido, Dogo. "Dogo" é o apelido dado pelos hauçás a qualquer pessoa alta. O Dogo de Uzo tinha sido um motorista no exército durante a guerra contra Hitler, então tinha entrado em contato com muitos hauçás. Quando a guerra acabou, ele queria casar com uma esposa usando o dinheiro que recebera do exército, e o pai de Aku-nna disse a ele: "A filha do meu primo está crescida agora. Ela vem de uma família muito alta também, então por que você não paga por ela? Ela te dará filhos altos, porque seu pai era alto e sua mãe, que ainda vive, também é alta". Dogo gostou de Uzo e Dogo pagou por Uzo, e Nna os ajudou a conseguir um lugar na Rua Akinwunmi e agora eles tinham esse bebê gordo e ganancioso que estava devorando a titia Uzo, fazendo com que ela parecesse velha demais para sua idade, deixando-a seca, dando-lhe a aparência de uma giganta.

"Hoje de noite vou contar para vocês uma história que acabo de ouvir de um amigo que chegou de casa ontem", Uzo disse. "Na verdade, eu já conhecia a história, mas tinha me esquecido dela, e acho que ainda não contei para você e Nna-nndo. Essa história em particular é muito longa e tem duas lindas canções, o tipo de canção que você gosta. Então é melhor você se apressar e começar a cozinhar agora mesmo", tia Uzo concluiu, enquanto girava o bebê para o outro seio. Então, do nada, ela gritou de dor: "Sua criança malvada! Eu nunca na vida encontrei uma criança tão descuidada quanto você, que fica mastigando meus mamilos como se eles fossem paus de mascar. Não sabe que eles doem? Você quer arrancá-los a dentadas? Você não é o único filho que vou ter, sabe. Outros virão e eu vou precisar dos meus mamilos para alimentá-los. Se você me morder assim de novo, eu vou ter que bater em você".

Divertindo-se, Aku-nna observou Uzo e seu bebê. O mesmo fez a mãe de Azuka, que estava a caminho da cozinha. "Você ainda não está esperando mais um, está?", ela perguntou com muita seriedade.

"Que coisa desagradável de se dizer", respondeu Uzo. "E ainda num dia como hoje. Ele só tem dezoito meses, é novo demais para ser desmamado".

O sorriso evaporou do rosto da mãe de Azuka e ela caminhou com determinação para a cozinha. Ela gritou para Aku-nna: "Venha cozinhar sua refeição da noite".

Aku-nna ficou surpresa com essa urgência. Por que estavam todos tão preocupados com a comida? E o que Uzo quis dizer quando falou para a mãe de Azuka "num dia como esse"? O que havia de errado com o dia, ela se perguntou. Ela tinha ido à escola como de costume, o sol tinha brilhado como de costume, e agora o sol estava se pondo como de costume. Então o que tinha se tornado subitamente tão notável? Ela examinou o rosto da titia Uzo, mas recebeu de volta um olhar tão vazio quanto um papel em branco. Não havia pistas do que as duas mulheres estavam comentando em segredo. Então ela deu de ombros e se apressou a fazer o que lhe mandavam.

Aku-nna gostava de ouvir as histórias da titia Uzo, pois ela era uma contadora de histórias nata. Aku-nna, como a maioria de seus amigos, tinha nascido em Lagos, mas seus pais e parentes gostavam de contar histórias nostálgicas sobre sua cidade, Ibuza. A maioria das histórias era como contos de fadas, mas com a diferença que quase todas usavam as típicas canções africanas de chamado-e-resposta: o contador chama e todos os ouvintes respondem. Tia Uzo era particularmente talentosa na arte dessas canções. Às vezes a voz dela subia, limpa e cristalina, tilintando como o som de mil sinetas. E quando a história era triste, seu chamado era grave, ainda claro, mas soando como correnteza forte caindo numa catarata. Esse tipo de canção era com frequência tão emocionante que lágrimas brotavam nos olhos do público. Invariavelmente, Uzo pedia aos ouvintes que fizessem profundos ruídos rítmicos, imitações dos sons produzidos pelos mestres percussionistas nas aldeias remotas ao redor de Ibuza. Entre os gemidos pulsantes e a canção lamentosa, havia a repetição de refrãos, primeiro em tons agudos e depois descendentes. E os ouvintes eram levados ao silêncio pela estupefação, suas mentes aterrorizadas imaginando muitas coisas.

As histórias eram tão intensamente carregadas de lições filosóficas sobre uma ou outra coisa que Aku-nna e seus amigos conseguiam aprender com elas. O que mais a atraía, entretanto, eram os brados e os chamados sobre a vida dos seus ancestrais. Eles tinham sido pessoas verdadeiramente da floresta, e seus nascimentos, casamentos e mortes eram igualmente celebrados com danças agitadas de moças pretas como carvão que vestiam curtas saias de ráfia, apresentando a aja ou a oduko com sinos nos seus tornozelos magros. Seus torsos nus eram embelezados com folhosas tatuagens pretas e suas risadas eram altas e complexas. Havia muitos curandeiros também, com cabeças tão bem raspadas que pareciam crânios de esqueletos...

Lembrando que a titia Uzo prometera outra história, Aku-nna estava ávida por começar a cozinhar. Mas o fogo idiota não pegava. Ela se ajoelhou no chão da cozinha e assoprou as faíscas teimosas, e tudo que elas fizeram foi brilhar e depois morrer. O fogo não pegava de jeito nenhum. Em vez disso, a fumaça entrou nos olhos dela e, quando tentou tossir, ela engoliu um bocado da fumaça, como as velhas mulheres fazem quando fumam seus cachimbos de argila. Mas ela não estava fumando nenhum cachimbo e não queria a fumaça machucando os pulmões. A tosse aumentou, e Alice perguntou se ela estava bem. Apesar de Aku-nna insistir que sim, Alice, mais séria do que costumava ser, acendeu o fogo para ela e depois voltou a descascar seu inhame. Alice era uma noiva recente e, como Aku-nna, tinha quase catorze anos; seu marido trabalhava como secretário no Ministério das Finanças. Aku-nna lhe agradeceu. Mas ela percebeu que todos estavam excepcionalmente calados, cozinhando rapidamente como se estivessem ansiosos para sair da cozinha o mais rápido possível.

Era um cômodo grande com uma chaminé num dos cantos laterais e servia de cozinha para todos os moradores da casa de dezesseis apartamentos na Rua Akinwunmi, bairro Yaba, onde Aku-nna morava. Agora estava tomado pela fumaça que saía dos cerca de dezesseis fornos de barro enfileirados pelas paredes. A chaminé era incapaz de puxar a fumaça de tanto fogo, então a fumaça apenas subia e se encaracolava em voltas e voltas pelo teto. Às vezes ela se tornava tão densa que se poderia jurar que a chaminé estava emitindo fumaça ao invés de sugá-la. Na cozinha, os olhos marejavam e o nariz corria em solidariedade. Cada forno era moldado com uma abertura frontal, na qual pedaços compridos de lenha eram inseridos; acendia-se a lenha e panelas de barro eram colocadas por cima da madeira ardente, que precisava ser cuidada e remexida de vez em quando, para que o fogo queimasse com mais brilho e força até que a comida na panela ficasse pronta. Quando você entrava na cozinha, via o que pareciam porções quadradas de fogo pelas paredes, e cada cozinheira aninhada no chão de cimento à frente de um quadrado de fogo, ou atiçando-o, ou mexendo a comida, ou descascando um inhame, ou simplesmente esfregando um olho lacrimejante ou um nariz úmido. Uma ou duas cozinheiras talvez não tivessem nada para fazer além de olhar o fogo e cantar alguma música, em geral sem letra e desafinada.

Mas nesta tarde, nem o criado Dick cantou seu habitual *Killy me die o Abana*. Ele também estava quieto, sua língua pendurada de um lado da boca como sempre, mas seus olhos pretos afiados estavam atipicamente suaves. Ele indicou para Aku-nna que o fogo dela tinha apagado de novo.

"A madeira que você está usando não está devidamente seca", ele explicou. "É por isso que faz tanta fumaça e não vai queimar fácil. Aqui, coloque sua panela no meu fogão. Eu já terminei".

Aku-nna estava pasma. Ela nunca sonhara que Dick fosse capaz de tanta bondade. Ela prometeu em silêncio nunca mais chamá-lo de "língua de cobra" — um apelido que Dick com razão odiava, apesar de que lhe servia bem. Afinal, ela pensou consigo mesma, Dick não podia mudar o jeito que ele era. Ele não conseguia deixar de lamber a colher de sopa com sua língua estreita do jeito que ele lambia, correndo a língua pra lá e pra cá e, no processo, fazendo sons de assobio como uma cobra sibilante; nem ele poderia deixar de ter uma boca tão pequena e tão parecida com a de um pássaro, o que fazia as pessoas pensarem mais no bico pontudo de um urubu faminto do que em qualquer atributo de um ser humano. Deus lhe tinha dado essas peculiaridades. Tudo que Dick fez foi aceitá-las, porque não havia nada que ele pudesse fazer a respeito. Então Aku-nna o perdoou e, como forma de apoio, entusiasmou-se ao dizer:

"A titia Uzo vai nos contar uma das suas histórias no fim do dia, ao lado do poste de luz. Tenho certeza que ela não vai se importar se você vier junto".

Dick lançou para ela um de seus olhares de cobra e disse, em um tom tão baixo que parecia o barulho de um homem sendo estrangulado: "Eu sei da história. Eu estarei lá sentado ao lado do poste". Ele ficou quieto de novo, como se estivesse pensando. Depois ele acrescentou, mais alto que antes, como se fosse um pensamento tardio: "Eu gosto muito das canções populares de Asaba". Dick também era igbo, mas do lado leste do Rio Níger. Os igbos daquela região geralmente se referiam aos seus irmãos a oeste do Níger como "as pessoas de Asaba": Asaba é uma grande cidade igbo de comércio a oeste do rio, uma cidade muito antiga e muito histórica.

A melancolia parecia ter vindo de algum lugar para se abater sobre todos na cozinha. Aku-nna podia sentir, mas tinha parado de se perguntar o porquê. Agora ela se apressava para fugir daquilo. Sentia-se grata que ela só precisava aquecer a sopa de dois dias e amassar uma pequena porção de inhame para si e para o irmão. Não importaria muito se o purê de inhame ficasse com caroços, nem importaria se ficasse duro. Ela e o irmão não eram tão exigentes. Tudo que importava era que o inhame estivesse cozido e amassado, era isso tudo o que eles queriam, e ela pretendia fazer o mais rápido que pudesse.

Logo ela tinha terminado. Seus olhos estavam vermelhos e seu peito arfando com a fumaça. Ela saiu da postura agachada e se levantou, limpou as mãos úmidas na lappa de casa, estampada de peixes, e saiu para o quintal como se saísse para a liberdade. Ela carregava o purê de inhame sobre a cabeça e caminhava com orgulho. Parou nos degraus que subiam para a casa e olhou em volta para ver se conseguia encontrar o irmão e chamá-lo para comer lá dentro. Nna-nndo, entretanto, como todos os garotos da idade dele, estava ocupado brincando em lugares impensáveis.

Aku-nna viu que o sol não estava baixando muito rápido. Tinha se transformado num vermelho intenso, como uma bola de fogo, e suas bordas estavam mais definidas e nítidas. Parecia pendurado nos céus, entre as nuvens, por fios invisíveis a olhos humanos. O calor ardente que ele enviara mais cedo tinha ido embora, e agora seus raios eram gentis, carinhosos, como o toque de uma mãe delicada.

Aku-nna suspirou e entrou.

Surpreendentemente, tia Uzo estava na sala. Ela não estava sentada, mas de pé, olhando pela única janela que dava para o quintal. Aku-nna não perguntou o que ela fazia ali, porque a maioria dos inquilinos raramente fechava as portas, mantendo-as abertas para deixar entrar o ar fresco da noite. Uzo se virou, firme, como se controlada por uma corda. O comportamento dela estava excepcionalmente gentil. Ela parecia se inclinar, como se o peso dos seus seios pendentes — seios cheios do leite do bebê Okechukwu — a puxasse para baixo. Seus olhos ainda estavam turbulentos, e Aku-nna teve certeza de que ela estivera chorando. Ela quis perguntar por que a titia Uzo não estava segurando o bebê, por que seus olhos estavam vermelhos, por que ela insistia tanto que Aku-nna fizesse a refeição da noite. Aku-nna se impediu de perguntar, porque, na sua cultura, isso teria sido falta de educação, e que tantas perguntas viessem de uma menina jovem como ela seria algo considerado ainda pior que falta de educação.

Uzo a encarou dura e longamente e então, de súbito, pareceu se recompor. "Achei que tinha dito pra que você se apressasse, pois quero contar uma história hoje à noite", ela disse em sua habitual voz de advertência.

"Mas eu me apressei. Procurei por toda parte por Nna-nndo, mas não consegui encontrar".

"Não se preocupe com Nna-nndo. Coma a sua parte. Ele vai entrar quando sentir fome. Ele sempre vem".

Incentivada dessa forma, Aku-nna lavou as mãos na bacia de água que tinha preparado para ela mesma, pegou sua porção de inhame amassado e começou a enrolar bolinhas pequenas o bastante para passar pela garganta. Logo ela tinha comido seu quinhão. Então ela comeu o pedaço de peixe seco na sua cumbuca de sopa e virou o resto da sopa fazendo muito barulho nessa afobação, pois sentia a urgência no ânimo de Uzo, enquanto Uzo olhava vagamente pela janela. Aku-nna lambeu os dedos rapidamente, recolheu as tigelas do chão e se dirigiu ao armário de comida.

Ela foi interrompida por uma batida alta na porta. Aku-nna espiou pela cortina e viu, parada no corredor, outra tia, essa mais velha e mais magra, chamada Mary. Titia Mary estava ali segurando Nna-nndo pelo pulso, e ela também parecia muito infeliz. Aku-nna agora estava com medo. Ela largou as tigelas batendo as louças e seus olhos notaram a lappa apressadamente amarrada à cintura da tia Mary. Titia Mary, outra parente próxima de Nna, era uma mulher muito preocupada com as roupas; ela raramente visitava, pois vivia a uma longa jornada de distância, em Ebute-Metta. Pela cabeça de Aku-nna cruzou o pensamento de que devia haver algo drasticamente errado para que ela viesse visitá-los assim, com uma aparência tão descuidada.

Ela tentou olhar de uma tia para a outra a fim de entender o que estava escondido atrás dos seus olhos vermelhos. Então chegou mais um visitante, dessa vez um homem, um dos homens mais respeitados em Ibuza. Algumas pessoas diziam que ele era médico: parecia bem alimentado, bem arrumado, e falava com uma voz sempre baixa, bem como os médicos de verdade fazem nos hospitais. Ele também usava óculos, óculos de aros dourados e sempre brilhantes. Mas, apesar de Mazi Arinze trabalhar no Hospital Geral na ilha de Lagos, ele era apenas um farmacêutico. Estava fora do alcance de muitas famílias de Ibuza pagar por qualquer outro médico, então Mazi Arinze se tornou o médico de todos. Ele podia curar qualquer coisa, de úlceras de bouba a mordidas de cobra; até doença do sono e malária não eram páreos para ele. Ele era especialista de tudo. Seu preço era razoável. Nna tinha dito que com Arinze você só precisava pagar pelos remédios, apesar de que ninguém sabia de onde ele tirava os remédios, se tinham sido prescritos para pacientes do hospital ou se eram remédios pertencentes ao hospital. Não importava muito de onde vinham. De acordo com um ditado iorubá, se você trabalha no altar, deve comer do altar; você é um homem amaldiçoado caso se recuse a desistir quando seu tempo acabar. Então Arinze não estava agindo fora da norma. Ele estava simplesmente adequado a outra das leis não escritas dos filhos do Níger.

Esse Arinze agora estava solidamente de pé na porta de entrada, com olhos baixos. Então Aku-nna e seu irmão souberam o motivo para as visitas inesperadas de seus parentes, então eles compreenderam a mensagem por trás dos olhos inchados de titia Uzo e titia Mary. Então eles souberam o que tinha acontecido. Nna tinha morrido.

Aku-nna sentiu como se não estivesse ali, como se tivesse passado para um reino onde nada existe. Pelo menos a voz do seu irmão — jovem, imatura, infantil — chegou até ela, dolorosamente afiada como o talho de uma lâmina de navalha.

"Não temos mais pai. Não haverá mais escola pra mim. Acabou".

Mas, Nna-nndo, você entendeu tudo errado, Aku-nna disse para si mesma. Não é que não temos mais o pai, é que não temos nenhum dos nossos pais. Nosso pai não o chamou justamente de Nna-nndo, significando "pai é o abrigo"? Então não apenas perdemos nosso pai, nós perdemos nossa vida, nosso abrigo!

É assim até hoje na Nigéria: quando você perde seu pai, você perdeu ambos os pais. A mãe é apenas uma mulher, e as mulheres devem ser desprovidas de ossos. Uma família sem pai é uma família sem cabeça, uma família sem abrigo, uma família sem pais; de fato, uma família não existente. Essas tradições não mudam muito.

O ENTERRO

O funeral de Ezekiel Odia foi, como todas essas cerimônias na África colonial, uma mistura do tradicional com o europeu. A ênfase estava sempre posta no aspecto europeu. Os modos europeus eram considerados modernos; os africanos, antiquados. A cultura de Lagos era uma tal conglomeração infeliz de ambos os lados que você acabava sem saber a qual pertencia.
Durante sua vida, Ezekiel foi um típico produto dessa mistura cultural. Ele pregava o evangelho aos domingos, cantava louvores ao Deus Vivo Europeu; mas tudo isso não o impedia de chamar um curandeiro nativo quando a situação exigia. De fato, atrás da porta dele havia uma calabaça que continha uma poção mágica cuja serventia era proteger a família; um homem não pode deixar sua família desprotegida. A calabaça ficava bem escondida, fora de vista, atrás da fotografia do casamento, na igreja, dele com sua esposa Ma Blackie. Ele foi enterrado da mesma forma que vivera: no conflito de duas culturas.

Após o primeiro anúncio de sua morte, o tradicional pranto começou. Isso em si era uma arte. Havia pranteadores profissionais, que listavam as boas ações realizadas pelo morto e diplomaticamente deixavam de fora as coisas ruins. A linhagem dele era recitada em voz alta, as vitórias dos seus ancestrais eram cantadas e o seu passado heroico era lançado aos ventos, entre os gemidos de outros pranteadores, os gritos das mulheres e os corações pulsantes dos homens. Tanta força era colocada no pranto. A primeira explosão de choro se elevava como um trovão furioso, em diferentes tons ensurdecedores. Os gritos agudos e penetrantes das mulheres, de alguma forma, conseguiam ter um toque de apatia, como se suas vozes estivessem dizendo: "Nós partilhamos do choro porque é o que se espera de nós, mas o que se pode fazer quando se enfrenta a morte? É um chamado que todos devemos atender, não importa o quanto estejamos ocupados". Seus ruídos de protesto contra a morte eram seguidos de deploráveis uivos profundos, como os de um escravo que sabe que será sacrificado em nome da vida do seu mestre adoentado. Os uivos dos homens eram de um tom mais grave, carregados de energia, e produziam sons que se pareciam aos rugidos de centenas de leões ferozes. Eles batiam contra o peito no ritmo da sua agonia, eles se abraçavam de um lado e do outro como ondas violentas em um dia nublado e, em cada rosto, corriam dois rios de lágrimas que pareciam que nunca iam secar.

Aku-nna e Nna-nndo eram os principais enlutados. Esperava-se que seus choros de perda fossem mais convincentes que os dos outros, pois não era o pai deles que tinha morrido? Seus prantos deveriam ser feitos do modo mais artístico, pois só se perde o pai uma vez. Aku-nna tinha visto sua mãe chorar as mortes de parentes e tinha ouvido histórias sobre como parentes lamentam a perda dos seus entes queridos. Ela não conhecia em detalhes a árvore genealógica do pai, então ela só cantou em voz alta as partes que sabia.

"Meu pai foi um bom provedor. Meu pai foi um bom cristão. Ele foi um bom marido para a minha mãe Ma Blackie. Ele me comprou muitos vestidos. Ele me mimava. Ele me enviou à escola". A isso se seguiu um longo choro de dor pesarosa, sem palavras, mas comovente.

Então: "Quem vai me mimar agora? Quem vai me enviar à escola? Quem vai me alimentar? Quem será um bom marido para Nne? Nne, minha mãe... onde está você? Volte de Ibuza, pois você perdeu o seu marido, o marido que se casou com você de acordo com nosso costume e casou de novo na igreja. Volte, pois você perdeu o pai dos seus filhos".

Assim falava Aku-nna sem parar, repetindo os atributos do seu pai. Ela não cessava, nem mesmo quando os outros enlutados desanimavam. Ninguém podia interrompê-la, pois era isso que se esperava de uma filha. As pessoas depois comentaram que, para uma menina que não nascera em Ibuza, ela não tinha se saído tão mal.

Nna-nndo não usou muitas palavras. Ele apenas gritou e se debateu. Homens adultos o seguraram firme para que ele não se machucasse. Ele logo parou de chorar, mas Aku-nna foi incentivada a continuar; as meninas deviam exibir mais emoção.

A essa altura, a sala estava cheia de gente. Os inquilinos, os criados, os parentes, dezenas e dezenas deles, chegavam de todos os cantos de Lagos. Todos choravam o que lhes cabia. Cada novo enlutado vinha, dava uma olhada nas duas jovens crianças, ouvia o choro de Aku-nna por um segundo e então saía para a varanda e começava a se lamentar. Todos sabiam que isso aconteceria com eles, um de cada vez. Uma morte assim podia acontecer nas suas próprias famílias; na verdade, eles mesmos podiam ser a próxima vítima. Então eles choravam, não apenas pelos filhos pequenos de Ezekiel Odia ou por Ezekiel, mas por eles próprios.

O choque inicial começou a passar. Os pranteadores estavam ficando exaustos. Ainda havia ocasionais lamentos e acessos de tristeza a cada nova chegada de um parente. Aku-nna persistia no choro, mas o impacto dele estava minguando. Para muitas das pessoas sentadas ali, com as cabeças passivamente caídas, Ezekiel Odia tinha ido encontrar seus ancestrais. Ele estava morto.

Um por um, como se impulsionados por uma força que apenas eles sentiam, os homens começaram a ir para a frente da casa, ao ar livre. A lua estava alta e cheia, mas seu brilho era ofuscado pela luz mais forte oferecida pelo poste elétrico do lado de fora da casa da Rua Akinwunmi. Era uma noite tão quente que os homens tiraram as roupas de cima; os que usavam tecidos de lappa amarrados à cintura os deixaram, alguns estavam agora apenas de bermuda. Então eles se deram as mãos para formar um grande círculo e começaram a bater os pés no chão e a caminhar, primeiro para um lado e depois para o outro. Esse movimento sem palavras de cerca de cinquenta homens fortes, no auge das suas vidas, durou um ou dois minutos. Então, muito de repente, ouviu-se um chamado, próximo, mas distante: os movimentos pesados dificultavam saber de onde vinha. Um só cantor aceitou o chamado. Ele estava chamando o Morte, dizendo a ele que acordasse e visse o que tinha feito. Não tinha levado Ezekiel para longe deles? Tinha tornado impossível para Ezekiel saber onde seu filho estava. Tinha levado Ezekiel embora antes que ele pudesse aproveitar o preço de noiva que sua filha traria. O Morte tinha levado Ezekiel para todo o sempre! Enquanto o solista catalogava tudo que o Morte tinha feito com Ezekiel e a família, os outros homens, agora feito dançarinos desvairados — ainda se movendo em círculos, as mãos mais apertadas que antes, os pés batendo no solo ressequido e cozido pelo sol —, soltaram, de repente e todos juntos, um grande berro. Então giraram mais e mais rápido, engrossando o ar com a poeira despertada, cantando de modo estranho e selvagem. Eles suavam em profusão e seus corpos de carvão brilhavam sob a luz.

Conforme a intensidade da dança aumentou, as mulheres, com lágrimas ainda jorrando dos olhos, começaram aos poucos a se juntar aos homens. Logo o círculo tinha se tornado tão grande que teve que ser dividido em círculos menores. Agora eram as mulheres que respondiam aos chamados. Os homens tinham feito a sua parte; eles tinham despertado o Morte do seu lugar de repouso na terra dos mortos. Agora era a vez das mulheres cantarem o trajeto de Ezekiel para a morte, abrindo o caminho com suas vozes de sinos para que a jornada dele fosse tranquila e sem empecilhos. Os sons que elas emitiam eram comoventes, propositalmente alongados, mas cheios de palavras cantadas tão rapidamente que, para ouvidos ignorantes, eram comparáveis ao barulho que um pedreiro faz quando deixa cair pedregulhos sobre um telhado de zinco. Ainda assim, apesar desse efeito, era impossível não se deixar levar pela suavidade que ligava as palavras em um fluxo sereno e impassível. Os homens respondiam ao canto contínuo em vozes graves, e essas vozes eram os suspiros de homens que, apesar de derrotados, nunca abriram mão da dignidade.

Então a dança da morte tomou novos rumos. Calabaças enfeitadas com rendas e búzios tinham sido produzidas. As mãos se soltaram e cada mulher recebeu uma calabaça. As canções continuavam, diversas delas, com entonações e giros variados, o legado de uma cultura ancestral. A elas foi adicionado o chacoalhar das calabaças decoradas, produzindo um som similar ao samba, mas muito africano. O movimento do círculo tinha perdido seu frenesi e a concentração estava sobre o canto das mulheres, o chocalho das calabaças e as palmas das mãos dos homens. Mas, se o desvario tinha sumido do grupo, tinha reaparecido em dançarinos solitários. Um ou dois pulavam para o centro do círculo, ao som de palmas rápidas, calabaças sacudidas e chamados cada vez mais altos, e, como cristãos zangados enlouquecidos de raiva, se enroscavam em bolinhas e depois se desenrolavam de novo, deixando seus corpos em formas esticadas ou encaroçadas, como uma massa gigante sendo preparada para o pão. Os dançarinos primeiro seguravam as mãos perto do peito, depois as balançavam no alto imitando as asas dos anjos, depois de novo para o peito, batendo os pés no chão ritmadamente em respostas a mudanças nas palmas, cantando e sacudindo as calabaças. Quando a música crescia, as pernas e os braços dos dançarinos se moviam com mais fúria, até a terra parecia inflamada pelas batidas pesadas; quando a música baixava para um coro, os dançarinos abraçavam o peito, tornando-se ágeis e graciosos como gatos brincando. Conforme os cantos subiam e baixavam, o mesmo faziam as mãos dos dançarinos. Toda a atmosfera era uma massa harmoniosa de ascensão e queda.

As quedas na intensidade ficavam mais longas conforme as pessoas se cansavam. Barris de vinho de palma eram comprados e passados de mão em mão. Pratos de noz-de-cola foram distribuídos.

Em meio a uma calmaria particularmente longa, outra cantoria foi ouvida das moradias ao lado — eram hinos cristãos e, apesar de cantados em igbo em um ritmo fortemente africanizado, eles ainda teriam que se esforçar muito para competir com as músicas tradicionais de morte. Os cristãos cantavam suas músicas sobre uma Nova Jerusalém, às vezes soando totalmente desafinados, conforme o vinho de palma surtia efeito.

Durou a noite toda. O choro dos parentes próximos dentro da sala, as intensas canções nativas dos enlutados do lado de fora, e as estranhas melodias cristãs mais lentas. O ar ficou repleto com o tumulto dos três grupos, e era tão confuso e barulhento que muitas vezes não dava para dizer que som vinha de qual direção.

A lua desapareceu. A noite radiante gradualmente deu espaço para uma manhã cinza e abafada; o nevoeiro estava por tudo e o orvalho formava pequenas gotas prateadas atrás das folhas do capim-limão que crescia selvagem em frente à casa. Ali, um enlutado exausto estava deitado, seu corpo nu pulsando após o rebuliço da noite; mais para lá, outro mais velho estava estirado sobre um banco, ele próprio como um morto, a respiração fadigada tremulava ao chiar para fora do peito careca e enrugado. A casa, o conjunto adjacente de casas e o outro conjunto ao lado dele pareciam campos de batalha abandonados; o chão estava tão batido que, com a umidade da manhã, a lama vermelha, normalmente escondida, tinha vindo à superfície. Cadeiras — cada dúzia alugada de locadores profissionais por um xelim — e bancos — emprestados de um professor de aulas particulares — estavam espalhados por todos os lados, como as espadas e os escudos dos guerreiros zulu depois de alguma das suas numerosas derrotas perante os soldados britânicos melhor armados.

Então um galo cantou, e era hora de ir. O velório tinha terminado. Um tio das crianças se levantou do cimento frio onde estivera deitado, amplamente espichado, soltando um bocejo alto e salivar, e disse baixinho:

"Os galos sempre começam a cantar justo quando eu estou começando a aproveitar o meu sono. Mas não importa. Eu devo ir pedir permissão para me ausentar do trabalho". Então ele lembrou que era sábado e sorriu. Quem diria, um homem quieto como Ezekiel morrendo na sexta-feira, para poder ser enterrado num sábado, o dia mais conveniente para funerais. Ia ser uma grande procissão, pois todos os trabalhadores estavam livres para vir.

Aku-nna não tinha dormido muito. O quarto deles estava cheio de tanta gente; mulheres com os corpos brilhando de suor estavam deitadas numa organizada fila sobre o tapete aberto no chão frio. Ela tinha sido esmagada entre uma prima, que se coçara a noite inteira porque tinha craw-craw, e uma mulher muito grande cujos seios subiam e desciam com sua respiração de hipopótamo raivoso. Aku-nna sentou e se alongou, tentando entender qual era a relação dela com essa mulher, a quem a sua mãe geralmente se referia como irmã Matilda (pronunciando "Matinda"). Em Ibuza, as relações eram tão vagas e complicadas que era sempre mais fácil nomear todos os parentes próximos de "sii-si-ta" ou "buu-lo-da", apesar de que Aku-nna tinha certeza de que essa mulher não podia ser uma irmã de verdade da sua mãe. Ela logo parou de pensar nisso, pois outro som chamou a sua atenção.

Vinha da titia Uzo e seu bebê. A respiração da tia Uzo era delicada, como os suspiros de um pequeno riacho atravessando arbustos.

Ela era tão magra e, ainda assim, tão flexível, que o braço que ela tinha ao redor do bebê era como uma serpente jovem estirada pacificamente, reluzente, preta e macia. O bebê Okechukwu dormia um sono profundo, mas sua boca adormecida estava tapada pelo mamilo pesado de Uzo. Ele puxava sonolento o peito da sua mãe, fazendo grunhidos engraçados de bicho, como um filhotinho, enquanto sua garganta recebia o leite. Aku-nna sorriu, apesar de tudo.

Ela se levantou, sentindo a necessidade de ir para o quintal dos fundos. Precisava ter muito cuidado para não pisar sobre os que ainda dormiam. O corpo do tio Richard estava deitado bem na frente da porta, as mãos dele junto ao peito como se fosse um homem santo dando uma bênção; ele tinha só quatro dedos numa das mãos, resultado de um acidente no trabalho. Ele era um reclamão nato — não que não tivesse motivos para se queixar, pois sua vida era muito triste. Como Nna, ele também tinha ido à guerra, apesar de que ninguém sabia direito se ele chegara a sair do norte da África ou ido à batalha. Mas ele contava muitas histórias de suas façanhas, de suas experiências no Japão, na Birmânia, na Índia. Como era possível que o tio Richard tivesse ido a todos esses lugares em uma só guerra, ainda mais se todos sabiam que ele tinha pouquíssimo estudo? Ele dava detalhes escabrosos de como os japoneses capturaram e mataram muitos soldados britânicos. Os japoneses deixavam valiosos relógios de pulso atirados por aí, ele contou para Aku-nna e seu irmão, e se você por acaso vinha de uma cultura que não te ensinara a não roubar, assim que você encostava nos relógios, sua cabeça era explodida em pedacinhos. Fora o tio Richard quem contara às crianças o que tinha acontecido com os pés de Nna, dando descrições tão elaboradas que se podia pensar que de fato estivera lá no mesmo regimento. Porém, Nna fora recrutado dois anos antes do tio Richard, e este não ficou por muito tempo antes do fim da guerra. Ele alegava que seu regimento tinha visto Hitler morrer, lentamente por causa do veneno, chorando como uma mulher nas dores do parto e pedindo aos deuses da Alemanha que o ajudassem. Ele era um bom contador de histórias, o tio Richard, talvez por isso, antes de mais nada, ele tivesse recebido a farda: para entreter os companheiros soldados.

Mas agora as histórias dele tinham toques amargos, não eram mais tão divertidas. Tinham acontecido coisas que o fizeram perder o senso de humor. Primeiro, ele tinha começado a ver caírem os dentes da frente; foram quatro ao todo, todos na parte de cima da boca, e os dois dentes em cada lado da fenda ainda eram tão brancos e pontudos que davam ao seu rosto a aparência de um crocodilo negro. Depois, ele perdeu um dedo; a dor que a perda desse dedo do meio lhe causou nunca deixou de fasciná-lo. Ele enumerava cada resmungo que tinha grunhido e se queixava de como a vida nunca mais fora a mesma. Ele choramingava: "E pensar que eu fui combater um monstro em forma humana como Hitler e sobrevivi com todos os meus dedos, só para voltar e perder um aqui no meu próprio país, entre meu próprio povo, quando estava apenas serrando madeira". Os ouvintes sentiam pena e sacudiam a cabeça, concordando que a vida é uma empreitada triste e cruel. Embora o tio Richard só tivesse passado uns poucos meses no exército, eles lhe pagaram muito dinheiro depois da baixa. Ele gastou com sabedoria e conseguiu para si uma esposa chamada Rebecca. Ela era uma moça muito silenciosa, um pouco rechonchuda, mas bonita demais e jovem demais para o tio Richard. Ele nunca parava de bater nela porque dizia que Rebecca estava sempre trocando olhares com outros homens. Eles vinham desde a sua casa na ilha para apresentar seus argumentos a Nna e Ma Blackie. Richard invariavelmente perdia essas disputas, e Nna seguido o avisava que, se ele não parasse de maltratar a esposa, ele logo a perderia também. Foi exatamente isso que aconteceu. Como se não bastasse, ele levou sua amargura para o trabalho e eles logo o demitiram, pois disseram que ele não tentava se dar bem com os colegas. Então o tio Richard ficou sem emprego, sem esposa, faltando dentes e dedo, mas Nna sempre garantia que ele pelo menos ficasse com a barriga cheia quando vinha visitar, o que era bastante frequente.

Aku-nna estava contemplando como ela daria um grande salto por cima do corpo adormecido sem machucar a mão ferida, especialmente porque aquela mão era a que estava mais para cima no seu peito, a mutilação agora mais grotesca na luz fraca, de modo que ela não queria ter que olhar de novo. Ela pegou impulso, elevou-se e saltou. Ela não caiu sobre o tio Richard, mas o assustou, acordando-o.

"Ah, é você?", ele perguntou com sua voz velha e instável. Então ele sorriu com tristeza, massageando o vazio inchado na sua mão sem perceber, a boca dele mostrando a fenda larga entre os dentes. Esse olhar mais demorado sobre o homem levou Aku-nna a saudá-lo com seu cumprimento tradicional. Todas as pessoas de Ibuza, à exceção de escravos e filhos de escravos, eram tratadas com títulos de louvor particulares em cumprimentos especiais. O cumprimento do tio Richard era o mesmo do pai dela, já que seus tataravós vinham dos mesmos pais: Odozi ani, que significava literalmente "embelezador da terra", mas também tinha o sentido de "portador da paz".

"Odozi ani" era o que Aku-nna queria dizer quando estava prestes a correr para o quintal dos fundos. Mas, para a sua surpresa, ela percebeu que não vinha nenhum som. Por mais que tentasse,

tudo que ela conseguia produzir em matéria de ruído era algo como o som de sapos envelhecendo nas margens de riachos pantanosos. Então ela se deu conta de que havia perdido a voz. Como ela faria no choro de despedida para seu pai àquela noite no enterro de fato? Isso a preocupou ainda mais quando percebeu que cada nova tentativa de forçar a fala não era apenas inútil, mas dolorosa.

Ao notar isso, o tio Richard disse, com a saliva da manhã criando bolhas entre os seus lábios trêmulos: "Quando o sol sair, você deve pedir à sua mãe pequena que compre umas bananas. Elas vão limpar a sua garganta. Você deve chorar um lamento de despedida para o seu pai. Você é a única filha saída das entranhas dele".

Aku-nna entendia o que o tio Richard queria dizer. Para os igbos e alguns iorubás na Nigéria, uma mãe natural não é a única mãe de uma criança. Uma avó pode ser conhecida como a "mãe grande" ou a "mãe velha", e a mãe de fato de alguém pode ser chamada de "mãe pequena", caso a mãe ou a sogra dela ainda estejam vivas. O título é estendido a todas as jovens tias ou irmãs mais velhas; na verdade, a todas as jovens mulheres que ajudam a criar a criança. Ibuza é uma cidade onde todo mundo conhece todo mundo, então uma criança acaba tendo tantas mães, tantos pais, que, em alguns casos, ela pode nem ver muito os pais verdadeiros. Isso é muito incentivado, pois não apenas a criança cresce conhecendo muitas pessoas e pensando bem delas, mas também a tendência dos pais naturais de mimar os filhos é contrabalanceada. É muito importante que uma criança seja filha da comunidade. Então, Aku-nna sabia que o tio Richard estava se referindo à tia Uzo.

Igual à parte da frente da casa, o quintal dos fundos lembrava outro campo de batalha. O frescor do ar do amanhecer não era suficiente para camuflar o fedor de urina, o cheiro forte dos restos de vinho de palma, o odor irradiando da sarjeta aberta, onde sem dúvida um ou dois enlutados tinham se aliviado de algum intoxicante. Embora a maioria dos inquilinos ainda dormisse e, embora o coletor das águas servidas tivesse esvaziado o balde de excrementos humanos na noite anterior, ele já estava cheio pela metade de novo. Aku-nna se apressou, pois ela não queria se demorar ali mais que o necessário.

Na outra ponta do quintal, estavam alguns gigantescos vasos de barro. Um dos vasos era deles, e era tarefa de Aku-nna enchê-lo de água todas as noites após a refeição, para que Nna pudesse se lavar pela manhã, antes de sair para o trabalho no pátio das locomotivas. Ela sabia que não tinha enchido o vaso de água devido aos acontecimentos da noite anterior. Ainda assim, quando ela levantou a tampa de lata, não ficou surpresa de ver o vaso cheio de água limpa e fresca. Algum dos vizinhos devia ter feito aquilo; ela se perguntava quem. Desde o anúncio da morte do seu pai, ela não parava de se maravilhar com os costumes não escritos do seu povo. Então voltou a ela a percepção, agora ainda mais dolorosa, de que eles nunca mais veriam o pai vivo, e ela encarou a realidade chocante de que essa morte mudaria toda a sua vida. Dessa vez, ela não podia gritar sua agonia, pois estava sem voz, e essa nova tristeza pairou sobre seu peito com o peso que ela costumava sentir quando carregava uma leva de lenha. Nem as lágrimas vinham, apesar dela sentir que seu coração estava derramando lágrimas suficientes para aumentar a carga da pesada dor. Mesmo assim, ela usou um pouco da água do vaso para lavar o rosto e a boca, e o sabor da água, ao lado da fria umidade da manhã, pareceu revivê-la de alguma forma. Ela caminhou devagar para a frente da casa e ficou de pé, em silêncio, ao lado do portão do quintal. Foi então que viu muitos dos seus parentes, a maioria deles homens, andando rápido para casa. Ela ficou ali por um longo tempo.

Dentro do quarto, as pessoas tinham começado a acordar, e havia atividades agitadas pra lá e pra cá. Os homens correram para o quintal dos fundos até o balde que se enchia rapidamente. As mulheres seguravam as crianças pequenas sobre a sarjeta que corria na lateral do quintal para limpar seus rostos e lavar seus dentes. A vida estava começando a continuar. "Aku-nna! Aku-nna, oooo!".

Aku-nna se sobressaltou e saiu na direção da voz. Ela não podia responder com o habitual "Eh!" porque a garganta dolorida não obedecia. Então se moveu muito rápido, apertando a lappa ao redor da sua jovem cintura conforme andava. Ela reconheceu a voz das suas mães pequenas a chamando e correu até elas.

"Onde você estava?", a tia Matilda queria saber. Aku-nna apontou para onde ela estivera parada, já que não podia falar, e o peso sobre seu peito sem seios a fazia sentir como se fosse a deusa de um dos rios perto de Onitcha que, dizem, tem seios tão grandes quanto abóboras gigantes. A sensação era tão real que ela agora agarrava a fina blusa de náilon que estava usando, os dedos apertando-a contra a garganta, como se isso pudesse aliviar um pouco da dor.

"Você está com frio?", Uzo perguntou, a voz rouca pelas canções e o choro da noite anterior. Aku-nna sacudiu a cabeça.

"Então deixe sua blusa quieta. Você quer rasgá-la? Não entende que você não tem mais pai? Você é uma órfã agora e precisa aprender a cuidar de todas as roupas que tem. Ninguém mais vai comprar roupas pra você até se casar. Daí seu marido vai cuidar de você".

"O que dá pena nisso tudo", disse a tia Matilda, "é que vão casar você muito cedo para conseguir dinheiro suficiente para pagar as mensalidades da escola de Nna-nndo".

"Ah, isso não vai ser difícil. Ela não é feia, nem uma beleza de chorar, mas ela é delicada, quieta e inteligente. Ela vai alegrar o coração de um homem educado, pode escrever. A maioria das meninas de Lagos casa muito rápido com homens ricos e educados por causa dos seus corpos macios e seus estudos", explicou Uzo.

"É verdade", concordou Matilda. "Você tem razão sobre os corpos macios: de onde elas tirariam as cicatrizes e os arranhões que nós tivemos? Acaso as crianças em Lagos sabem o que é arrancar uma mandioca de uma terra ressecada e intransigente, só para encontrar uma grande cobra enroscada no topo da planta observando seu trabalho? Nem pensar, as meninas nascidas hoje em dia recebem tudo de bandeja. Elas têm sorte. Como é que não teriam corpos macios e formas flexíveis?", ela terminou com um suspiro. Então, numa reflexão tardia, ela acrescentou, virando-se para encarar Aku-nna diretamente: "Esse é o destino pra nós, mulheres. Não tem nada que possamos fazer. Só aprender a aceitar".

Aku-nna tinha certeza de que elas estavam dizendo tudo isso como um consolo, mas também para prepará-la para o que estava por vir. Elas tinham tentado fazer isso, mas sem sucesso. Muito pelo contrário, elas tinham intensificado o medo do desconhecido. Qual seria o seu destino, ela se perguntava.

Quando o sol saiu, e a névoa secava rápido nas folhas úmidas, os vendedores de grãos começaram a caminhar pela rua, carregando os feijões cozidos fumegantes sobre a cabeça. Vendedores de comida estavam por todos os lados negociando suas coisas. Algumas casas para baixo, a vendedora de arroz estava anunciando para todo mundo que seu arroz estava pronto.

"O que você quer de café da manhã hoje?", Uzo perguntou.

Aku-nna não sabia o que queria, mas deu a entender que gostaria de saber onde seu irmão estava.

"Ah", disse Uzo, "ele está com Mama John Bull".

Aku-nna imediatamente parou de se preocupar com o irmão, porque sabia que ele seria bem alimentado e cuidado. Mama John Bull, que morava descendo a rua, era uma mulher gorda com filhos gordos — em Lagos, todos os bebês meninos gordos são chamados de John Bull, por isso o nome dela indicava que ela era mãe de John Bull — e ela sentia que era seu dever alimentar todas as pessoas até que ficassem gordas como os moradores da sua casa. O marido de Mama John Bull era parente de Ma Blackie, então Nna-nndo ia ficar com a família.

"Se não quer mais nada para comer, então vou pegar umas bananas para a sua voz. A minha também está doendo hoje, então vou comer um pouco também", Uzo disse ao se afastar para atender os chamados do seu bebê.

O resto do dia foi um pesadelo. Pessoas iam e vinham. Conforme o meio-dia se aproximava, o sol ficou quente, e as pessoas vinham e ficavam. Cadeiras foram colocadas para fora mais uma vez, canções foram reiniciadas exatamente como antes, pessoas começaram a chorar de novo, especialmente aquelas que não tinham estado presentes na noite anterior. Pelas duas da tarde, até a voz de Aku-nna retornou, e a bateção de pé tinha ficado intensa. O irmão dela, agora limpo e alimentado, estava sentado sozinho num dos bancos, encarando com medo todos os que vinham ou saíam. A voz de alguém atravessou o tumulto: "Quem dera a mãe das crianças estivesse aqui. Elas parecem tão perdidas".

Elas não apenas pareciam perdidas, elas se sentiam perdidas. De repente, um forte clamor veio lá de fora. Os dançarinos pararam de dançar, os cristãos pararam de cantar. Todos começaram a gritar e berrar — as mulheres levavam as mãos às cabeças e gritavam, os homens batiam no peito e uivavam. A tia Uzo segurou Aku-nna com firmeza enquanto gritava e gritava, seus olhos fechados derramando lágrimas pesadas como a chuva. O tio Uche segurava Nna-nndo e estava uivando e sacudindo a cabeça de lado a lado. Por que essa nova explosão de emoções, as crianças se perguntavam, assustadas.

Então Aku-nna notou que Uzo estava gritando palavras nos seus ouvidos. O barulho era tão ensurdecedor que ela não percebera a princípio.

"Chore!", Uzo gritava. "Chore, pois nosso pai que foi ao hospital algumas semanas atrás está de volta. Ele está de volta! Está de volta! Nosso pai está de volta! Ma Blackie, venha e receba seu marido que foi ao hospital algumas semanas atrás, pois ele está de volta para te oferecer um último adeus".

As crianças então compreenderam. O corpo do pai tinha sido trazido para casa. Aku-nna e o irmão foram conduzidos a outro aposento, que pertencia a um vizinho. Eles tinham que ficar ali até que o corpo do pai estivesse pronto para ser visto.

Houve uma grande discussão sobre que grupo de enlutados privilegiados sentaria perto do corpo de Nna. Nna fora antes um pagão, depois um cristão, depois um cristão e pagão, então era difícil prever para onde exatamente ele iria depois da morte. Os cristãos insistiam que ele iria para o céu nas nuvens, entre os anjos ao lado direito do Deus vivo, pois ele nunca faltara à igreja, ele tinha sido um bom tenor e tinha levado uma vida moderada, sem ofender ninguém. Um homem tranquilo. Os enlutados de Ibuza diziam que Nna era o filho de um grande oráculo adivinhador. Eles tinham certeza de que o pai dele estava lá na terra "ani nmo", esperando pelo filho. Então eles iam dançá-lo até o inferno.

Aos onze anos de idade, Nna-nndo tinha, de alguma forma, se tornado mais sábio e mais velho desde a morte do pai. Recorreram a ele para decidir.

O velho tio Richard, fervendo de raiva, arrastou Nna-nndo de onde ele estava sentado e, sacudindo a mão inchada de quatro dedos para ele, apelou.

"Você sabe", ele começou, e a falta de dentes tornava quase impossível para os ouvintes compreender o que ele estava tentando dizer, um problema agravado pelo fato de que a boca do tio Richard estava sempre cheia de saliva de tabaco. Os filhos do seu sobrinho morto nunca gostaram dele, mas, se ele tinha consciência disso, não se deixava incomodar. Eram apenas crianças, jovens demais para saber que o rosto horrível de alguém não redundava necessariamente em uma mente horrível. Nisso, ele tinha razão: Nna-nndo não gostava do rosto dele nem da mente — não importava para ele se a mente estava repleta de boas intenções ou não, ele simplesmente não conseguia gostar de um rosto com tantas deformidades.

"Você sabe que é o herdeiro do seu pai. Ele não está conosco agora, mas ele está bem aí onde você está, invisível, nos observando. Você entende?".

Nna-nndo balançou a cabeça para baixo e para cima. Ele entendia. "Que bom", disse o tio Richard. "Veja", ele disse com triunfo para todos os que ouviam agora amontoados ao redor dele. "Veja", ele continuou, a voz tremulando mais perigosamente que nunca, "nosso irmão deitado ali está morto, mas não está morto. Ele deixou um homem atrás de si. Ele pode ser ainda um homem muito jovem, um menininho, mas, em poucos anos, nós esqueceremos o primeiro Ezekiel Odia. Nós lembraremos e falaremos de seu filho, Nna-nndo, porque ele crescerá e realizará grandes feitos". Ele falava sem parar, ficando muito afetuoso com a força das suas próprias palavras. Então o crescendo da sua voz enfraqueceu, assim como a sua energia. Ele se aproximou de Nna-nndo, arquejando; o peito envelhecido, ossudo e careca, chiava alto.

"Meu filho, qual grupo de enlutados você deseja perto do seu pai falecido?".

Nna-nndo não reagiu.

Outro homem na multidão deu um passo à frente e perguntou em voz alta: "Nna-nndo, você deseja que seu pai fique no céu com os anjos, ou deseja ele abaixo da terra?".

"Eu quero meu pai no Céu!", gritou o pobre menino sem conseguir se conter. A imaginação dele, perante as palavras "céu" e "anjos", tinha invocado as lindas e graciosas imagens que tinham mostrado para ele nas aulas da catequese de domingo.

Houve um leve murmúrio de raiva do tio Richard e de alguns dos homens mais velhos. Mas as mulheres pareciam jubilantes. Elas preferiam que Nna fosse aos céus, porque o céu soava mais puro, limpo e, ainda por cima, o céu dos cristãos era novo e estrangeiro: tudo que era importado era considerado muito melhor que seus velhos costumes. Cadeiras foram rapidamente organizadas ao redor do caixão aberto e os cristãos se sentaram, cantando a partir de pesados livros de hinos igbos. Os jovens coristas agarravam seus hinários numa mão e embrulhos de sotainas e sobrepelizes na outra. Uzo liberou a cama grande, pegou os embrulhos dos coristas e colocou sobre ela. Os meninos do coral agora tinham a liberdade para cantar com gosto e sem interferência.

Logo chegou a hora de fechar o caixão e de Ezekiel Odia seguir seu caminho e nunca mais ser visto neste mundo. Disseram a Aku-nna para preparar o presente para seu pai. Esperava-se que ela desse um vestido, e Nna-nndo deveria dar uma camisa. Os parentes de Ma Blackie procuraram pelo quarto todo alguma peça de roupa que tivesse sido usada por ela, até que por fim resgataram um velho lenço para cabeça que Ma Blackie provavelmente tinha esquecido na pressa de voltar para Ibuza e recarregar sua fertilidade.

Era necessário que as crianças apresentassem seus presentes, e os dois ficaram de pé, ali, observando o que restava do pai. *Por que ele encolheu tanto?, Aku-nna se perguntou. O que fizeram com meu pai? Eu reconheço esse terno marrom, sim, o melhor terno dele, que ele tinha limpado e preparado para a próxima colheita. Mas a pessoa nesse terno parece tão diferente do nosso pai que saiu desta mesma sala apenas três semanas atrás dizendo para nos comportarmos.* Ela estava assustada demais para olhar diretamente para o rosto, mas, com o canto do olho, ela conseguia ver que aquela testa estava lisa demais para pertencer ao pai vivo. Ele estava diferente na morte. O pai deles tinha se ido. A imagem do pai que ela conhecia ficaria para sempre no seu coração. Seu pai de voz pequena com os grandes olhos injetados de sangue que continham pequenas encruzilhadas vermelhas, seu pai que tinha um jeito engraçado de assobiar quando estava embriagado de vinho de palma, seu pai cujas roupas de trabalho ela precisava lavar todos os domingos, seu pai, que a tinha mimado e agradado, que preferia escutá-la a qualquer outra pessoa... tinha partido. Essa coisa que chamavam de seu corpo era completamente outra pessoa. Seu verdadeiro pai tinha partido.

Ela notou que os cristãos tinham parado de cantar. Até seu irmão, Nna-nndo, caiu num choque de silêncio. Essa era a morte, real e na família. As crianças nunca tinham visto uma pessoa morta antes; que a primeira pessoa morta que eles vissem fosse seu pai multiplicava o choque. Nna-nndo foi empurrado à frente para dar o seu presentinho e Aku-nna foi solicitada a fazer o mesmo. Foi então que ela criou coragem para olhar para o rosto dele. Era de fato o rosto do seu pai; estava desenrugado, liso, quase jovem, e a boca estava fechada de tal jeito que ele parecia prestes a lhe dizer alguma coisa. Então os observadores tiveram a impressão de que ela tinha enlouquecido, pois, em vez de lhe dar o vestidinho, ela começou a pedir que Nna falasse com ela. Alguém tirou o vestido das suas pequenas mãos e o atirou aos pés do caixão.

"Me deixa em paz!", Aku-nna gritou. "Ele quer me dizer alguma coisa. Ele não pode só ir embora assim... Ele quer dizer alguma...", ela perdeu a consciência e não soube de mais nada.

A procissão ao cemitério foi uma das mais impressionantes que a Rua Akinwunmi já testemunhara. Os funcionários da ferrovia trouxeram seu carro funerário especial, com as palavras DEPTO FERROVIÁRIO DA NIGÉRIA escritas desalinhadamente em dourado nas laterais. O corpo de Nna foi depositado no centro dele, ladeado pelos colegas de trabalho. Nna-nndo e sua irmã foram atrás, firmemente abraçados por parentes. Então vieram os coristas, agora devidamente vestidos com os seus mantos em preto e branco. Centenas de amigos casuais e vizinhos iam atrás, com qualquer um que tivesse vontade de se juntar à procissão. Os enlutados de Ibuza vinham na retaguarda com as suas canções de morte e danças de despedida. As calabaças decoradas que eles traziam sacudiam no ar. Um tocador de berrante estava presente, soprando e soprando até sua cara ficar como dois grandes balões marrons e brilhantes, unidos por uma testa suarenta. Outros homens tinham garrafas vazias e colheres de metal; eles batiam as colheres contra as garrafas ajudando a produzir algum tipo de música.

O problema é que havia música demais, com o berrante, as garrafas vazias, as calabaças decoradas, as palmas, os pés batendo, os cantos cristãos por uma Nova Jerusalém. Tudo virou uma confusão. Mas ainda assim a procissão avançava lentamente para o cemitério no bairro Igbobi.

O corpo de Nna desceu para dentro da cova. Os coveiros ficaram nas laterais, nus da cintura para cima e com as bermudas cáqui cobertas de lama. Eles pareciam impacientes. Um passou uma noz-de-cola seca para o outro enquanto o vigário da Igreja de Todos os Santos dizia "cinza à cinza, terra à terra".

Ninguém mais chorava. Todas as lágrimas já tinham sido derramadas. Aku-nna, ainda debilitada pelo desmaio mais cedo, se movia mecanicamente como se puxada por cordas. Ela viu seu irmão jogar dois punhados de terra sobre Nna. Ela fez o mesmo. Todos pareceram sair de um transe e jogaram terra, pedras, de tudo, sobre Nna. Não serviria de nada pedir que fossem delicados, Aku-nna considerou. Nna não podia sentir.

Os coveiros, ainda mascando furiosamente as nozes-de-cola, jogaram pás e mais pás cheias de terra sobre o caixão. Eles eram tão desalmados, estavam até mesmo distraídos. Eles apenas mexiam as pás. O ruído forte produzido pelas pedras e pela terra sobre o caixão desprotegido era um último adeus de Ezekiel para seus filhos.

"Lembrem sempre que vocês são meus", ele tinha dito apenas três semanas antes.

Aku-nna percebeu que seu irmão, Nna-nndo, estava parado sozinho. Ela caminhou até ele, tocou na sua mão e, juntos, eles saíram do cemitério.

As pessoas de Ibuza têm um ditado de que, no dia de parentes de sangue, os amigos se vão.

RETORNO A IBUZA

Ma Blackie todos os dias se encaminhava a Ezukwu, o lugar em Ibuza onde morava seu curandeiro. Ela tinha que acordar muito cedo, com o cacarejo do primeiro galo. Ela não deveria lavar o rosto, nem mascar um pau de mascar, nem falar com ninguém, apenas caminhar muito rápido, nas manhãs úmidas, até a cabana do curandeiro. Lá, ela engolia a mistura de raízes que já estava fermentando; tinha gosto de vinho natural, mas sem açúcar. Ela lavava o rosto com um pouco dessa mistura e depois entrava na cabana para saudar o curandeiro com seu cumprimento especial: "Igwe", que significava "os céus", pois esse homem não era apenas um curandeiro, mas também um chefe, de chapéu vermelho, e esses chefes eram os donos dos céus. A resposta dele para Ma Blackie era "Amu-apa", significando "ela que balança seu bebê".

Nessa manhã em particular, o velho curandeiro notou que Ma Blackie não estava no seu habitual ânimo alegre e perguntou por quê.

"Ouvi dizer que meu marido está doente em Lagos", ela explicou. "Eu quero ir ficar com ele e as crianças, mas ainda faltam três dias de mercado até terminar o remédio para o bem que você me preparou. Posso levar o restante comigo? Eu esconderei de todas as feiticeiras bisbilhoteiras. Não deixarei que saibam que está comigo".

O curandeiro franziu a testa já enrugada. Ele tinha o rosto acaveirado e muito esguio. Então ele fechou os olhos e, depois de um tempo, começou a balançar a cabeça careca de um lado para o outro. Ele abriu a boca escurecida pelo tabaco e passou a tagarelar sons confusos que eram muito enervantes. Ma se encolheu ainda mais no canto da cabana. Quando o homem abriu os olhos novamente, eles estavam tão vermelhos quanto a semente de palma. Sua boca negra expelia uma espuma branca como de sabão, que ele limpava com as costas de uma das mãos e depois esfregava na tanga. "Não se preocupe com o meu remédio", ele disse, "se você o levar daqui, as feiticeiras que são minhas inimigas vão transformá-lo em veneno. Em vez de te dar filhos, ele pode transformar você numa mulher estéril. Não devemos nos preocupar com isso agora. Você deve ir e fazer as malas. Seus filhos precisam de você. Não se permita ficar em Ibuza até o sol nascer. Levante e vá logo".

Havia milhões de perguntas que Ma Blackie queria fazer. Ela teria gostado de saber se conseguiria ter outro filho para seu marido quando chegasse em Lagos, ou se ela teria que retornar a Ibuza depois que seu marido melhorasse. Se o curandeiro pressentia tudo isso, não estava falando. Pelo menos, não estava falando num tipo de linguagem que Ma Blackie pudesse entender, pois ele continuou tagarelando de olhos fechados, a boca espumando. Sua cantoria incorporou os peculiares gritos e chamados de uma nação da floresta que dança em fila.

Ma observou com medo por apenas um segundo antes de ir embora. Ela tinha sido avisada para não se demorar em Ibuza até o sol nascer. Restava muito pouco tempo.

Estava compartilhando uma cabana com Ozubu, uma das esposas do seu cunhado Okonkwo. Ma acordou Ozubu e relatou em suspiros o que o curandeiro tinha dito. Ozubu, uma mulher corpulenta, era muito conhecida na aldeia por sua simplicidade, mas ela pareceu ficar esperta de repente.

"Eu não quis interferir", ela disse para Ma Blackie, "mas eu senti que você deveria ter voltado a Lagos assim que chegou a mensagem de que seu marido Ezekiel estava doente. Se eu fosse você, não teria me importado com o que nosso marido Okonkwo estava dizendo". Okonkwo era um irmão mais velho de Ezekiel e, em Ibuza, um cunhado também recebia o título de marido.

"Eu teria ido", Ozubu continuou. "Agora não se preocupe. Se houvesse qualquer coisa errada, o curandeiro, o dibia, teria falado. Ele é tão poderoso, você sabe, que ele não perambula pelas tardes. Dizem os boatos que, se você o vê fora da cabana de tarde, você volta para casa e dorme seu último sono, do qual nunca acordará. Se ele diz que você não deve ver o sol nascer em Ibuza hoje, então você não verá. Você estará no estacionamento de Asaba a essa hora".

"Eu não deveria avisar nosso marido Okonkwo antes?", Ma perguntou com a voz seca de apreensão.

"Não diga nada ainda", rosnou Ozubu. Então ela riu, um som grave sem alegria. "Ele vai xingar se você chegar perto dele agora. Não percebeu que já faz dois dias de mercado que ele só chama Ezebona para dentro da cabana dele e mais ninguém? O que me causa vergonha por eles é que ficam lá dentro até o sol nascer. Eu sei que Ezebona é jovem e ainda uma nova esposa para ele, mas eles parecem não se importar com o que os outros pensam. Quando eu era nova, ele não estava comigo há muito tempo antes de eu engravidar do filho dele. Não sei de onde aquele graveto seco da Ezebona vai tirar filhos. Talvez ele a mande para o mesmo dibia que você foi. Ele não se importaria de gastar todo o seu dinheiro com ela. Mas se eu ou minha companheira", Ozubu estava se referindo à outra esposa de Okonkwo, "reclamássemos de uma dor de cabeça, ele nos lembraria que pagou vinte e duas libras por cabeça. Então não se dê o trabalho de avisá-lo que você está pronta para ir embora".

Ma Blackie, que não estava disposta a ouvir os resmungos de Ozubu sobre o marido que ela compartilhava com outras duas mulheres, foi fazer as malas.

Ela tinha esperança de que Okonkwo tivesse saído da cama marital no horário em que ela partisse. Ela derramou lágrimas silenciosas pela incerteza de tudo. Se pelo menos o curandeiro tivesse contado exatamente o que estava acontecendo com a sua família em Lagos, então ela poderia olhar com esperança para a expectativa da chegada lá. Na situação atual, ela não podia ter esperança, ainda mais com pessoas como Ozubu cuidando tanto para dizer o que ela deveria fazer, que ela deveria ter voltado a Lagos assim que a notícia da doença de Ezekiel chegou. Mas como ela poderia ter ido, se o cunhado que deveria ocupar o lugar de seu marido impediu que ela fosse, dizendo que Ezekiel provavelmente só tinha uma leve febre e ele ia preferir que ela ficasse e fosse ao curandeiro? Onde, Okonkwo perguntou, onde havia curandeiros inteligentes em Lagos? Tudo que eles tinham por lá eram pessoas chamadas de "dókitas", que vertiam água envenenada para dentro de você e chamavam de remédio. Ma Blackie, ele afirmou, deveria ficar em Ibuza e ter seu sistema purificado pela água limpa e não poluída do Rio Oboshi; o rio e a deusa do rio eram presentes de deuses maiores para todas as pessoas de Ibuza. Era direito de todos os filhos e filhas de Ibuza vir e deixar que o rio os limpasse, sempre que se encontrassem em dificuldades em lugares de trabalho distantes.

Ma Blackie não questionava tudo isso, mas por que ela se sentia tão culpada por não ter retornado a Lagos mais cedo? Ela se consolou dizendo que provavelmente não poderia ter feito nada de qualquer forma. Repreendeu-se por se deixar dominar pela imaginação. As crianças estavam bem; o pé do seu marido podia estar causando problemas, mas isso vinha se desenrolando há mais de cinco anos agora, desde que ele voltara do exército. Por que se tornaria de repente tão grave, justo quando ela não estava com ele?

Havia uma coisa que ela estava determinada a fazer: dessa vez ela ia desobedecer Okonkwo. Ela sabia que uma mulher deveria sempre obedecer um cunhado mais velho, mas agora ela não se importava nem um pouco. Ela faria exatamente o que Ozubu tinha sugerido, apesar de que, por outras razões. Ozubu tomaria como sinal de desprezo por Okonkwo, mas Ma Blackie estava preocupada com a sua família.

A sorte estava com ela. Bem quando ela estava saindo do owele, o banheiro das mulheres, ela viu entrar Ezebona, a esposa mais nova de Okonkwo. Ele já devia ter terminado com ela então. Ma caminhou muito rápido, seus pés esmagando as folhas secas conforme ela andava. Quando ela chegou à árvore egbo que marcava o limite da casa pessoal de Okonkwo, ela gritou o cumprimento da manhã para ele.

Ele respondeu com o cumprimento especial dela, "Amu-apal", e saiu vestindo a tanga de trabalho no campo. Bastou um vislumbre do rosto dela para saber que não estava tudo bem, e ele a convidou a entrar.

Eles sentaram sobre o pavimento elevado de terra que circundava toda a cabana e servia de assento. O aposento maior na parte da frente servia de local para visitas e tinha uma reentrância para uma janela no teto que permitia a entrada de luz e também recolhia água da chuva. No cômodo do centro, dormiam tanto os humanos quanto os animais — cabras e carneiros — da família. Na extremidade desse espaço aberto e parcialmente descoberto, estavam algumas peles de cabra e os apoios para cabeça, feitos de madeira, que ainda não haviam sido guardados. Ozubu tinha razão, pensou Ma Blackie: Okonkwo dormia com sua nova esposa até o segundo canto do galo!

Ma não se deixou incomodar, nem se perturbou com o cheiro dos excrementos e da urina das cabras que ainda infestava o ar. Ela apenas contou ao cunhado o que o curandeiro tinha dito.

Okonkwo se levantou, levantou o tapa-sexo e o dobrou para dentro numa espécie de envelope triangular, dentro do qual repousavam seus genitais, deixando nuas as nádegas. Então ele se sentou de novo sobre o banco de terra fria, soprando para longe as moscas atraídas pelos excrementos das cabras. Ele estava pensando e, a julgar pela cara feia que fazia, seus pensamentos não eram felizes.

"Você deve ir", ele disse enfim. "E se Ezekiel culpar você por voltar sem concluir o tratamento, diga a ele que eu mandei que fosse assim. Lembre Ezekiel, caso ele tenha esquecido, que eu sou o mais velho e primeiro filho do nosso pai. Cabe a mim a palavra final e cabe a ele obedecer. Diga isso a ele. Agora vá".

Ezebona entrou para varrer o aposento estilo pátio com uma longa vassoura feita de ramos amarrados. O marido dela observou seu corpo jovem e ágil, os olhos dele colados na azulada tatuagem nupcial cujos traços começavam entre os seios nus de Ezebona e seguiam até se encontrar no centro das costas. Ele flagrou Ma acompanhando seus olhos e imediatamente corrigiu o olhar e se recompôs.

"Deixe isso por enquanto", ele disse a Ezebona. "Blackie vai voltar para o marido e os filhos hoje. Ela vai precisar da ajuda de uma de vocês para carregar a mala até Asaba. Você deve voltar imediatamente, não quero nem ouvir falar que você ficou no bairro Cable Point de Asaba fofocando com mulheres que não têm nada pra fazer. Então, assim que o caminhão tiver partido com Ma, você deve voltar de pronto. Quero ver você quando eu retornar do campo".

"Entendi", respondeu Ezebona, e se virou para olhar Ma Blackie com cara de pergunta. "Espero que esteja tudo bem com você partindo apressada e nos deixando assim?".

Ma não soube o que a acometeu. Talvez fosse ciúme. Okonkwo era esguio e alto, com um ar altivo, e tinha sido um homem bonito na juventude (tão bonito que sua primeira esposa fugiu para ele sem que ele pagasse nem um centavo pelo preço de noiva). O marido dela, Ezekiel, era mais jovem, mais baixo, e tinha uma pequena barriga como resultado da vida relativamente mais fácil que levava em Lagos. Que Okonkwo se importava mais com Ezebona do que Ezekiel com Ma era evidente. Mas que Ezebona ficasse se regozijando era demais. Ma Blackie sentiu que simplesmente não aguentava mais nada naquela manhã.

"Se tudo estivesse bem", ela disse ríspida à menina inocente, "eu estaria correndo assim como uma louca? Você não foi criada por uma mãe por acaso? Você não me dirigiu um cumprimento de manhã — você me viu no owele e não me disse nada — e agora, só porque nosso marido está aqui, você me pergunta se está tudo bem. Você realmente se importa se está tudo bem ou não?". Ela se retirou, amassando as folhas de egbo no chão sob os seus pés descalços.

Ezebona olhou para o marido numa súplica silenciosa. O que ela tinha feito? Por um momento, Okonkwo não disse nada, depois falou com a voz grave e suave:

"Encha meu cachimbo de tabaco. E venha sentar aqui, enquanto isso".

Ezebona sentou ao lado dele, e ele começou a percorrer com o dedo indicador as linhas feitas pela tatuagem nupcial azul. Ele perguntou se ela tinha chorado muito no dia em que a tatuadora cortou as pequenas linhas.

Ezebona sorriu. Ela voltou para a área de dormir, onde as peles de cabras ainda estavam estendidas e a fogueira ainda brilhava. Ela fez uma tentativa de pegar um carvão em brasa para colocar no cachimbo de argila apagado, mas queimou os dedos. Okonkwo se aproximou, dizendo a ela, com a voz suave, mas urgente, que ele a tinha avisado diversas vezes para não tocar no fogo com os dedos desprotegidos. Ela ia se queimar. Ele exigiu ver o dedo machucado, então cuspiu nele, esfregando gentilmente a umidade com um dedo, enquanto o outro continuava correndo e percorrendo as marcas da tatuagem azul no corpo nu da sua jovem esposa. Ele sentou sobre as peles de cabra no chão, uma perna dobrada e a outra estendida, e Ezebona pousou sua cabeça toda trançada sobre a coxa arqueada. Eles ficaram assim por algum tempo. Okonkwo dando baforadas tranquilas no seu tabaco e contando a ela pequenas insignificâncias íntimas. Então tragou longamente no seu cachimbo e deu um suspiro profundo.

A cabeça de Ezebona se ergueu. "Está tudo bem?", ela perguntou de novo. Okonkwo sacudiu a cabeça. "Meu irmão... meu irmão".

"Ele está muito doente? Houve alguma outra má notícia?".

Ele olhou para ela, demorada e tristemente. "Você é uma mulher bonita, como uma deusa. E uma deusa que não abre muito a boca será sempre misteriosa e linda. Se apresse agora e ajude aquela mulher a levar suas coisas para Asaba. Lembre de ficar de boca fechada e não a incomode mais. Ela está muito chateada. Corra".

Ma Blackie tinha implorado ao motorista que a deixasse na frente de uma casa na Rua Wakeham, onde uma de suas primas, Maggie, morava com o marido, Ageh. Ainda era muito cedo quando chegaram e havia poucas pessoas por ali. Ma agradeceu ao motorista pela gentileza e gritou pela prima na frente da casa. Eles deviam estar dormindo, pois Ma teve que chamar muitas vezes até vir uma fraca resposta lá de dentro. Maggie deve ter reconhecido a voz dela.

"É você, Blackie? Ah, querida... e-wo".

O coração de Blackie parou. Por que Maggie soava tão deplorável? Ela ouviu movimentos apressados e murmúrios na casa. Luzes se acendiam em diferentes quartos, pois a maioria dos moradores conhecia Ma Blackie muito bem. Eles começaram a correr para fora da casa. Bastava olhar para Ma para ver que ela não sabia o que tinha acontecido, caso contrário ela certamente teria ido a Lagos vestida de luto. Era óbvio que ela estava preocupada, e ela tinha a aparência descuidada de alguém que teve que viajar com grande urgência, mas ela estava usando roupas normais.

Ma analisou o rosto da sua prima e dos seus amigos, que estavam todos tentando olhar para longe. Maggie ergueu a mala de madeira de Ma sobre a cabeça e outra mulher, mãe de Oyibo, carregou a grande cesta que continha alguns inhames e cachos de banana-da-terra. Ma Blackie tinha saído com pressa demais para trazer qualquer coisa para os filhos.

Ela perguntou como estava seu marido Ezekiel, e lhe disseram que ele tinha saído do hospital no dia anterior. Ma Blackie dançou de alegria na rua àquela hora da manhã. O alívio atravessou seu corpo tenso, soltando sua língua. Ela conversou com as pessoas, descrevendo a ansiedade que sentira, contando a elas como estivera preocupada, como estava feliz de estar de volta. Ela percebeu que todos estavam atipicamente silenciosos e pareciam permitir que ela tagarelasse, mas ela teve medo de perguntar por quê. A intuição lhe dizia que alguma coisa ruim tinha acontecido com a sua família, mas, como a maioria dos humanos, ela preferia adiar a notícia até que fosse inevitável.

Eles estavam a caminho da casa na Rua Akinwunmi, onde Ma Blackie tinha vivido com o marido e os filhos antes de retornar a Ibuza, e, quando eles dobraram da Rua Queen para a Akinwunmi, ela sentiu o coração acelerar. Dúvidas misturadas a medo se agruparam no seu peito, e o caroço parecia estar subindo para a garganta, prestes a sufocá-la. Ela parou de falar. Eles contornaram a pequena esquina adjacente ao bar conhecido como O Clube e então chegaram em frente à casa.

Ma começou a avançar num trote, como se possuída, e então

fez do trote uma corrida. O que acontecera? Por que havia tantas cadeiras? Por que o chão estava tão pisoteado? Onde estavam seus filhos? Suas perguntas silenciosas confrontavam a prima Maggie, que se viu contando mais uma mentira que não convencia nem a ela mesma:

"Ezekiel comemorou a alta do hospital e ainda não devolveram as cadeiras".

"Sério?", Ma Blackie perguntou incrédula.

Ela não teve muito tempo para ponderar o assunto, pois Maggie começou a gritar, chamando os vizinhos igbos. Então Ma Blackie foi conduzida para dentro do quarto. Agora não havia necessidade de ninguém lhe contar o que tinha acontecido.

Mãos agitadas desfizeram as tranças do seu cabelo. Tiraram dela as roupas e lhe deram um traje mais velho e puído. Um lugar no chão de cimento foi estabelecido para que ela sentasse e chorasse e fizesse o luto do seu marido morto.

Semanas mais tarde, Ma Blackie e os dois filhos estavam prontos para ir à sua cidade natal, Ibuza. Essa era a única coisa a ser feita quando o chefe de família não estava mais. A vida em Lagos, como em todas as capitais, custava muito dinheiro, e não era viável sem um ganha-pão. Na família Odia, quem ganhava o pão tinha partido, então seus dependentes tinham que voltar para casa e cuidar de si mesmos o melhor que pudessem. Não havia mais nada a ser feito, eles tinham que partir.

Era uma manhã limpa e luminosa quando o pequeno e triste grupo se foi da Rua Akinwunmi. Os vizinhos se despediram com pequenos presentes e lágrimas. As crianças lamentavam muito deixar a única vida que conheciam, os amigos, os parentes de Lagos — especialmente o tio Joseph e o tio Uche, que tinham cuidado delas desde que o pai doente fora ao hospital. Mas disseram a elas que deveriam deixar tudo para trás e encarar uma nova vida em Ibuza.

Aku-nna se lembrava apenas de retalhos de histórias sobre como era a vida em Ibuza. Ela sabia que teria que se casar e que o preço de noiva que ela renderia ajudaria a pagar as mensalidades da escola do irmão, Nna-nndo. Ela não se incomodava com isso, pelo menos significava que ela seria bem alimentada. O que ela temia era o tipo de homem que seria escolhido para ela. Ela teria gostado de casar com alguém que vivesse em Lagos, para que ela não precisasse trabalhar no campo e carregar mandioca. Ela tinha ouvido histórias sobre como a vida no campo podia ser desgastante para uma mulher. Ela tinha ouvido que um marido fazendeiro não dava dinheiro para a manutenção da casa, como o pai dela dava à sua mãe. Havia tantas perguntas que ela queria fazer, mas era considerado falta de educação ser curiosa demais. Então Aku-nna ouvia, se preocupava e rezava a Deus para que os ajudasse.

Nessa manhã, quando eles estavam deixando Lagos para sempre, o tio Uche chamou um freteiro. Todos os seus pertences tinham sido reunidos e precisavam ser colocados numa carroça de mão e levados para o lugar onde embarcariam no caminhão para Ibuza. O freteiro que apareceu era igbo; os igbos têm a reputação de não se importar com o trabalho que farão, desde que dê dinheiro — um povo especialmente obstinado nos negócios. Ele era baixo, muito preto, nem um pouco bonito, mas jovem e charmoso, e ele disse que por cinco xelins ele puxaria as posses dos Odias para o estacionamento de Iddo.

"Cinco xelins!", protestou Ma Blackie. "Você acha que estou indo para casa para um feriado ou para o Natal? Não enxerga as minhas roupas? Não sabe que o marido que me trouxe a esta cidade como uma jovem noiva não está mais? De que parte de Igbolândia você veio? Se eu tivesse chamado um freteiro ngbati, um homem iorubá, eu tenho certeza que ele teria pena da minha condição e cobraria menos. Mas ah, não, não nós, igbos! Tudo que conhecemos é dinheiro, dinheiro, dinheiro! Valorizamos tanto o dinheiro que nos esquecemos do medo de Deus".

A voz de Ma Blackie começou a oscilar. Lágrimas já estavam correndo dos seus olhos sobre as tatuagens de seu clã nas bochechas. Ela fungou, depois desfez um lado de sua lappa preta de luto e assoou o nariz nela.

O freteiro olhava de um lado para o outro como um animal encurralado procurando uma rota de fuga. Ele devia estar cego, admitiu. Ele não tinha prestado atenção. Claro que ele era um homem igbo correto, ele disse, empertigando seu pequeno corpo e, ao mesmo tempo, puxando sua bermuda ensopada de lama para cima da barriga despida. Ele aceitaria menos dinheiro. Ele cobraria apenas quatro xelins. Se o carro fosse dele, até levaria de graça.

"Mas, você entende", ele continuou, levantando os olhos para os céus, onde se supõe que Deus vive, "eu preciso viver e alimentar minha família também. Eu rezo para que minha esposa não vá para casa assim, mas quando a morte nos atinge, nós, humanos, somos indefesos".

"Você se expressou bem, meu amigo", contribuiu o tio Uche. "Leve as coisas do meu irmão morto para o estacionamento de Iddo. Deus não deixaria sua família voltar para casa desse jeito. Mas aceite três xelins".

"Sim, três xelins, três xelins", cantaram as vozes de Maggie, Uzo e muitas das mulheres ao redor. "Por favor, aceite três xelins, que Deus lhe abençoe".

O freteiro levantou sua bermuda cáqui mais uma vez. Depois ele deu o suspiro de alguém forçado a uma decisão.

"Tudo bem, três xelins e seis centavos, e já nos vamos. Se você não chegar lá cedo, vai perder os caminhões bons". Ele começou a carregar o carrinho e o deixou pronto para rolar até o estacionamento.

As mulheres balançaram as cabeças e fizeram sinais conspiratórios para Ma Blackie, assegurando que ela tinha conseguido uma barganha. O freteiro fingiu não ver os acenos, mas não deixou passar nenhum deles. Ele empurrou o carro para o meio da rua, esmagando pedregulhos embaixo das rodas. Estava pronto para ir.

Vieram as despedidas finais, e o grupo deixou a Rua Akinwunmi. No mercado Oyingbo, eles encontraram muitas mulheres de sua cidade indo vender peixe seco: todas elas largaram os cestos de peixe, todas choraram um pouco, e a família recebeu alguns peixes marinhos. Mães confortaram Aku-nna dando a ela três moedas e, para Nna-nndo, dois novos centavos. Elas desejaram sorte a Ma Blackie e seguiram, desanimadas, para o mercado.

Não houve muita discussão sobre preços no estacionamento, pois descobriram que a igreja que eles frequentavam tinha cuidado dos arranjos necessários. Isso surpreendeu tanto Ma Blackie que ela começou a chorar de novo.

"As pessoas têm sido tão gentis", ela choramingou nas roupas de luto.

Mama Emeka e a senhora Gibson, as duas representantes do setor igbo da Igreja de Todos os Santos, já tinham contado a triste história dos apuros de Ma ao motorista de um caminhão mammy, e o motorista ficou tão pesaroso que reservou um banco especial nos fundos para a família. Lá eles poderiam sentar e descansar contra os embrulhos de peixe seco que estavam sendo transportados para a região leste da Nigéria. O lugar deles no fundo também ia garantir que eles tivessem suficiente ar fresco, pois esses assentos ficavam perto das aberturas laterais do caminhão.

"Eu prefiro sentar e me apoiar em embrulhos de peixe seco", observou a mãe de Emeka. "Pelo menos peixes mortos não falam, e eles não empurram nem resmungam se você descansar a cabeça contra eles no meio da noite".

Ma Blackie e a senhora Gibson concordaram com ela, e esta acrescentou:

"Nós tivemos muita sorte. Me pergunto quem é esse homem que concordou em ser tão gentil sem sequer nos conhecer".

"Ah, ali está ele. Vê aquele homem correndo, de barba, vestindo uma camisa xadrez? É ele".

Enquanto isso, o homem de barba estava ocupado negociando e convencendo os clientes a entrarem no seu caminhão. Uma família que parecia abastada estava chegando ao estacionamento: um jovem homem que estava bem vestido e tinha a aparência e a postura de um funcionário público, sua bela esposa e um filho muito pequeno. Os motoristas de todos os dez caminhões à espera correram como pássaros recém-soltos de um aviário na direção da jovem família, mas o motorista de barba se arremessou à frente de todos eles, agarrou a maior maleta do grupo em polvorosa e correu para a frente do seu caminhão. Ele sorriu triunfante quando o jovem marido teve que vir atrás dele aos gritos:

"Ei, olha, tem coisas de valor nessa mala. Cuidado para não quebrar".

O motorista, embalando a maleta como um bebê recém-nascido, garantiu que as coisas seriam bem cuidadas. "Você não ia receber o mesmo tratamento nos outros caminhões, pode ter certeza. Eu e meu colega — vê ele ali, o homem mascando noz-de-cola —, bom, nós somos os melhores motoristas que esse estacionamento de Iddo já viu. Nosso caminhão é o maior, e somos dois dirigindo; então, quando eu canso, ele assume. Também temos um mecânico a bordo. Esse caminhão é especial, para pessoas como você — homens importantes que sabem o que significa qualidade e gostam de viajar com conforto".

Ele fez uma pausa e levantou a sobrancelha para o colega, o segundo motorista, que se encaminhou rapidamente para pegar o resto da bagagem da família com os outros motoristas menos agressivos. Havia murmúrios e grunhidos de queixas dos concorrentes, mas o motorista de barba os ignorou. Ele e o homem da família abastada começaram a debater a tarifa em voz baixa. A certa altura da negociação, o homem bem-vestido agiu como se estivesse insatisfeito e pareceu prestes a se dirigir aos outros caminhões, mas a mãe de Emeka, que estava observando os acontecimentos, gritou:

"Vá no caminhão dele! É o melhor de todos. E, além do mais, você pode ter certeza de que vai chegar em Asaba na hora".

O motorista de barba lançou um sorriso grato para a mãe de Emeka. Ele abriu as mãos num gesto que parecia dizer "vê o que eu quero dizer?". Para as observadoras mulheres, a discussão parecia encerrada; o funcionário público aparentava estar satisfeito com o resultado, pois o motorista assistente estava agora empilhando seus pertences no caminhão.

Muitos outros passageiros chegaram, e uma e outra vez o mesmo processo tinha que se desenrolar para convencer cada um deles. Com a espera, Ma Blackie conseguiu esquecer por um momento que Nna tinha morrido. Ela conversou com as mulheres sobre os velhos tempos e sobre os últimos modelos de tecido de lappa. A mãe de Emeka, uma mulher muito bem alimentada, com dobras de carne circundando seu negro pescoço brilhante como contas, anunciou, com sua voz forte, que ela tinha comprado o mais novo material conhecido como "Abada Lekord", que trazia o desenho de discos de gramofone. Ma concordou que era uma estampa muito atraente e que a cor tinha aparência de ser duradoura.

"Você pode lavar e lavar um material como esse e a cor continua brilhando como se fosse nova". Ela suspirou, talvez lembrando que nunca poderia comprar um desses agora que seu marido tinha partido.

As outras entenderam a mensagem e suspiraram também. A mãe de Emeka olhou ao redor no estacionamento agora cheio e se sentiu quase envergonhada pelo seu entusiasmo. Ela notou Aku-nna parada sozinha, as costas apoiadas contra o caminhão que logo os levaria para casa.

"Acho que a sua filha está com fome", ela disse se virando para Ma. "Vou ver se consigo algo para as crianças comerem. Você quer alguma coisa, Blackie?".

Ma Blackie negou com a cabeça.

"Se eu fosse você, comeria algo", interveio a senhora Gibson. "A viagem é longa e você pode não encontrar o tipo de comida que gosta em Abeokuta e Benim".

"Eu sei", respondeu Ma. "Mas a questão é que eu sempre fico enjoada nessa viagem e, se meu estômago estiver vazio, não vou me sentir tão mal".

"Entendo", concluiu a mãe de Emeka. "Aku-nna... aaa...!", ela chamou, subindo a voz mais do que nunca, como se estivesse chamando a atenção de todo o estacionamento. "Nna-nndo... oooo! Vamos, vocês dois, eu vou comprar alguma comida pra vocês".

Muitas cabeças se voltaram na direção do chamado. O motorista de barba caminhou na direção delas, respirando como um homem que tinha feito bons negócios e estava muito contente com o resultado. Ele exibiu os dentes brancos e disse ao grupo "não se preocupem com o dinheiro".

Ele afundou a mão na grande bolsa de couro que ele carregava no ombro e deu cinco xelins para Aku-nna. "Vá até o balcão de comida na estação ferroviária do outro lado da rua e compre alguma coisa pra você e pro seu irmão. A comida de lá é mais limpa do que as comidas das barraquinhas. Mas vá depressa. Já tenho passageiros suficientes, então vamos sair em breve".

As mulheres o encararam de olhos arregalados. Um total de cinco xelins para uma garotinha gastar em comida! Ma Blackie ficou tão comovida que precisou secar os olhos com a ponta da lappa de luto. A mãe de Emeka bradou em voz alta elogios ao homem de barba, e a senhora Gibson e a titia Uzo agradeceram intensamente. Quando Uzo seguiu falando que homens assim geralmente acabam ricos porque Deus abençoa a bondade deles, todas as mulheres balançaram a cabeça concordando com essa filosofia. Ele com certeza seria um homem rico algum dia.

Logo depois chegou a hora de todas as amigas e vizinhas de Ma Blackie irem para suas casas, a tempo de receberem os maridos de volta do trabalho às quatro da tarde. Elas lamentavam por Ma Blackie e sua família, e tinham dado toda a ajuda que podiam, mas chegara o momento de cuidar das suas próprias vidas também, seus próprios filhos e maridos. Tinham que dar adeus. A partida foi alongada com discursos, conselhos — especialmente para Aku-nna — e orações por Ma. Novas lágrimas foram derramadas, e então todas as amigas se foram.

O calor intenso e sufocante da tarde tinha cedido e se transformado num leve mormaço aprazível. As sombras estavam compridas, uma leve brisa soprava da lagoa. O sol estava se preparando para desaparecer e tinha baixado do centro do céu para um dos lados. Vendedores e motoristas cansados estavam sentados à sombra bebendo vinho de palma gelado. Os vendedores de comida estavam comendo o que havia sobrado. Os motoristas dos caminhões andavam lentamente ao redor dos seus veículos, verificando isso e aquilo, não muito animados para começar a longa jornada.

Aku-nna e Nna-nndo observavam o desenrolar dos preparativos finais. Eles ainda mal podiam acreditar que estavam realmente indo embora de Lagos, no fim. Lagos, onde tinham passado toda a infância. Lagos, onde todos os amigos moravam. Lagos, onde o corpo do seu pai descansava num túmulo sem inscrições no Igbobi.

Os lábios de Nna-nndo estavam secos; ele os lambeu. Havia muita confusão no seu coração jovem. Mas não havia nada a ser feito. Ele tinha que ir.

Todos os passageiros tinham embarcado agora. O caminhão rangeu, sacudiu de um lado para o outro como um imenso terremoto, saiu do seu lugar de descanso, tossiu alto uma forte fumaça, começou a se mover aos solavancos... e de repente ganhou velocidade. Entre as mãos que abanavam, de poucos amigos e parentes que tinham ficado para se despedir dos passageiros, estavam as mãos de titia Uzo e tio Uche. Vozes gritavam "boa viagem!".

As barracas e bancas de comida começaram a passar rápido e logo eles estavam na estrada principal. Um fiscal de trânsito empapado de suor, com marcas tribais zebradas no rosto reluzente, acenou para eles. O caminhão avançou numa velocidade lunática para longe de Lagos.

A VIDA
EM IBUZA

O caminhão atravessou rapidamente Sagamu e Okitipupa e muitas outras cidades iorubás. A princípio, as crianças ficaram fascinadas com a velocidade das casas que passavam e que, eles notaram, eram principalmente construídas de barro e tinham paredes menos lisas do que as das casas que eles costumavam ver em Lagos. Florestas densas pareciam o tempo todo prestes a engolir o caminhão, mas, de alguma forma, a estrada sempre encontrava um jeito de continuar, apesar da selva tropical. Havia árvores de noz-de-cola e de cacau na beira da estrada margeando diversas cidades, e os frutos carregados de nozes pendiam para baixo como os seios de uma mulher grávida.

Depois de Sagamu, os comerciantes no caminhão começaram a cantar. Viajar de e para Lagos era seu estilo de vida. Eles compravam tecidos, peixe seco e caixas de alimentos importados em Lagos, e a maioria dos comerciantes levava essas compras para Asaba e cruzava o Rio Níger para chegar ao grande mercado em Onitcha, onde podiam vender as mercadorias. Os comerciantes mais ambiciosos viajavam ainda mais longe interior adentro, até lugares como Aba e, assim, lucravam mais. O dinheiro que recebiam das vendas era usado para comprar, dos fazendeiros locais, inhames, sacos de garri e outros produtos que eram levados para serem vendidos em Lagos. Os comerciantes igbos nessa rota eram muito conhecidos por seus pequenos impérios de rápido desenvolvimento. Eles eram clientes regulares das muitas banquinhas de comida na beira da estrada, que forneciam purê de inhame e sopa com pedaços generosos de carne de caça. Também serviam barris e barris de vinho de palma para engolir tudo.

No caminhão que levava Ma Blackie e seus filhos, três quartos dos passageiros eram esses comerciantes. Eles tinham o hábito de tornar as viagens mais agradáveis inventando canções para o motorista, canções sobre qualquer coisa que enxergassem no caminho. As jovens moças se dirigindo aos riachos eram o tema mais popular e, conforme eles passavam por mais um riacho e ainda mais um grupo de meninas, as músicas ficavam cada vez mais engraçadas. Aku-nna se perguntava por que as meninas perto da estrada nunca se importavam em cobrir a parte de cima dos seus corpos, e a maioria não vestia nada, exceto alguma tanga colorida. É claro que os comerciantes compunham canções sobre moças com pernas de mosquito, moças com seios como abóboras, moças com pelos no peito.

Os vinhos de palma de diferentes cidades eram outro assunto para as composições musicais. Ubulu-okoti, por exemplo, era uma cidade igbo renomada por sua produção saborosa e inebriante. Todos — comerciantes, mulheres, crianças e até os passageiros de elite — acompanhavam as canções nostálgicas sobre essa cidade, seu vinho e suas jovens moças com seios grandes como calabaças. O clímax acontecia quando o motorista também se juntava ao refrão com sua voz especial de barítono e começava até a dirigir o caminhão em sintonia com a música: conforme o tom da canção subia, ele aumentava a marcha, criando a impressão de que o próprio caminhão estava balançando de acordo com a música. Era, de fato, uma viagem melodiosa até Asaba.

A paisagem mudou levemente depois de Benim. O solo ficou mais vermelho, as folhas eram de um verde escuro que sugeria um toque de preto. As florestas ficaram realmente fechadas, como bosques misteriosos. Aqui se via uma trilha estreita como uma fita vermelha se enroscando nas profundezas misteriosas. Ali se via uma figura humana emergir como se saísse de um jardim secreto, carregando na cabeça um cacho de frutos de palma já maduros, com cor de sangue, ou uma menina com sua irmãzinha, correndo para dentro da densa floresta ao som do caminhão que se aproximava.

 Perto de uma cidade chamada Agbor, eles passaram por um riacho que, conforme Ma Blackie disse aos seus filhos inquiridores, era conhecido como "Ologodo". Aku-nna meneou a cabeça; dizia-se que sua madrinha era de Agbor Ologodo. Aku-nna pensou consigo mesma: então esse era o lugar de onde viera a mulher. Era difícil associar esse pequeno riacho, ao lado do qual meninas e mulheres tomavam banho, à sua madrinha que tinha se tornado tão rica e moderna em Lagos. Essas pessoas, assim como aquelas próximas a cidades iorubás, também se vestiam escassamente, e aquelas que estavam bem-vestidas, presumivelmente a caminho dos mercados, usavam seus lenços amarrados na cabeça de um jeito que parecia engraçado para Aku-nna. Eles não conheciam a moda de Lagos, explicou Ma Blackie.

 Havia outra coisa diferente nas pessoas ali: elas pareciam mais relaxadas, mais naturalmente bonitas que seus parentes em Lagos. As mulheres todas tinham pescoços tão longos e mantinham a cabeça erguida, feito avestruzes, como se estivessem especialmente orgulhosas de si mesmas, e suas pernas graciosamente finas davam mais altura à sua aparência geral. Apenas os idosos eram vistos se curvando. Todas as outras pessoas se moviam com tal postura que lhes dava uma elegância crua e natural. Então o caminhão passou por um mercado: comparado aos grandes de Lagos, era um mercado de brinquedo, mas certamente mais barulhento. O cheiro de mandioca fresca se misturava ao cheiro de peixes vivos e óleo de palma e, sob o calor e a umidade, o cheiro parecia se grudar ao ar, pesado e tangível.

 Muito cedo na manhã seguinte, eles chegaram a Asaba. Como a mãe de Emeka tinha previsto no dia anterior, o caminhão deles foi o primeiro a chegar vindo do estacionamento de Iddo. O motorista tinha sido realmente veloz; ele provavelmente fora impulsionado pelas canções elogiosas dos passageiros. Aku-nna, que tinha amadurecido muito na sua mente desde a morte do pai, notou que, apesar do horário, todos os comerciantes homens sumiram para dentro da cidade. Ma explicou que a maioria dos comerciantes ricos tinham amantes ali e, quando chegavam tão cedo, eles iam às casas das suas namoradas pelo resto da noite. Essa revelação chocou um pouco Aku-nna, especialmente porque o motorista barbado foi um dos primeiros a se ausentar, carregando um lampião de parafina. Todos os homens se comportavam assim? Seu pai era assim? O funcionário público bem-vestido, ainda abraçado à sua esposa adormecida, era assim? Não, Aku-nna disse a si mesma. Seu pai fora diferente, e também o era esse funcionário público. Que o funcionário pudesse agir daquele mesmo modo pelas costas da esposa é algo que não ocorreu a Aku-nna.

Todo o mundo dos adultos estava ficando complicado demais, então Aku-nna parou de pensar nisso, seguiu o exemplo da mãe e pegou no sono. Com a maioria dos comerciantes nas casas de suas namoradinhas de Asaba, agora havia mais espaço para elas esticarem o corpo.

Eles foram acordados por uma vendedora de arroz negociando muito perto do estacionamento.

"Você vai voltar se experimentar isso aqui. Venha e comprove! Você vai lamber os dedos... Coloquei muita cebola dentro, muita pimenta dos brancos... Tem tomates maduros nele. Se você provar, vai voltar". A vendedora continuou bradando os elogios ao seu arroz cozido.

Aku-nna espiou pela lona encerada que cobria o caminhão e viu o arroz: amarelo, com alguns vegetais verdes e folhosos ziguezagueando entre os grãos. O arroz devia estar quente, pois mesmo à distância ela conseguia ver o vapor espesso saindo da panela gigante. Involuntariamente, a boca dela salivou diante dessa visão.

Nna-nndo acordou a mãe deles e insistiu que estava com fome e a única coisa que comeria no mundo inteiro era aquele arroz específico. Ma Blackie protestou suavemente:

"Mas você não lavou seu rosto, filho. Veja, minha filha, leve seu irmão até o leito do rio. Vocês dois precisam se limpar. Nossos parentes estarão aqui ao nascer do sol, porque hoje é dia de mercado Nkwo. Não quero que eles vejam vocês sujos e cobertos de terra. Leve essa calabaça e traga um pouco de água para que eu lave meu rosto também".

"Mas eu quero comprar um pouco de arroz da vendedora antes que ela venda tudo", Nna-nndo se queixou para Ma.

"Bom, você deve lavar o rosto e limpar os dentes antes de comer arroz". "Meus dentes estão limpos e tomei banho ontem".

"Nada de arroz se não se lavar, entendeu? Não sente pena da sua pobre mãe? Escute, seu pai está morto. Sou a única pessoa que resta para cuidar de você. Você vai me matar antes da hora se continuar discutindo comigo desse jeito sem me obedecer de imediato. Vá, lave o rosto, bosquímano".

"Sim, ele é um bosquímano", interveio, aos risos, o funcionário público que estava ouvindo o debate entre mãe e filho. "Os bosquímanos não lavam o rosto. Você não comeu ontem? Bom, então, antes de comer hoje, você precisa se lavar".

Nna-nndo ficou envergonhado. Ele seguiu a irmã humildemente, espiando de vez em quando, furtivo, na direção do arroz fumegante, mas enfim se resignando a obedecer. Ele não gostou nem um pouco de ser chamado de bosquímano.

O sol logo raiou, morno e dourado. As crianças tinham sido alimentadas com o arroz quente, e Ma Blackie e muitos dos outros passageiros tinham comido um creme de milho, conhecido como ogi, e bolinhos akara. Estavam todos limpos, e a bagagem estava empilhada de modo organizado na grama úmida à beira da estrada. Os comerciantes que, antes do dia raiar, tinham se metido na cidade, agora estavam voltando, um por um. Os olhos deles estavam cansados. E apesar de não parecerem homens que tivessem passado uma noite tranquila, eles pareciam satisfeitos o bastante, alguns fumando seus cachimbos de argila de um jeito pensativo, como cabras mascando grama.

"Nossos parentes estarão aqui logo", disse Ma Blackie. "Eles vão levar nossas malas, então não vamos precisar carregar muita coisa".

"Ibuza fica muito longe, mãe?", perguntou Aku-nna.

"Não, nada longe, apenas sete milhas. Nós vamos estar em casa antes de todos saírem para trabalhar no campo. Ah, veja! Aqui vem o primeiro grupo da nossa gente. Já nos viram!".

As crianças olharam na direção que a mãe deles estava apontando e viram cerca de quinze mulheres trotando para a praça que rapidamente se enchia de gente e se tornaria o mercado. Elas carregavam uma grande quantidade de pasta de mandioca ainda úmida, enrolada em folhas de bananeira, dentro de cestos; muitas das cestas não eram tão grandes, mas, com as pilhas de pasta de mandioca pingando e se amontoando, elas terminavam por parecer arranha-céus. Akpu, como a polpa da mandioca era conhecida localmente, era um alimento muito pesado feito a partir das raízes da planta da mandioca — tão pesado que os pescoços das pobres mulheres carregadoras (que suavam profusamente apesar do calor do sol matinal ainda ser moderado) eram comprimidos à metade do seu tamanho normal.

Ma Blackie as chamou, e como elas vinham para receber a família Odia de Lagos, a piedade era evidente. Todas elas lamentavam por Ma, e muitas garantiram que tinham derramado todas as lágrimas que os seus olhos eram capazes de derramar quando souberam da notícia da morte do seu marido. Elas iam, primeiro, vender o akpu a granel, disseram, e então viriam ajudar Ma Blackie a carregar seus pertences para Ibuza. Ma contestou, sabendo que elas iam lucrar menos vendendo o akpu a granel, mas as mulheres a lembraram que, em Ibuza, o dia em que você chora pela morte de outro, chora por você mesmo. O que eram alguns centavos quando uma de suas amigas estava usando roupas pretas? Não, Ma não devia se preocupar; elas venderiam a granel para aqueles que passariam o dia em Asaba e depois viriam ajudá-la.

Honrando sua palavra, em menos de uma hora o grupo feliz estava tagarelando como macacos conforme os Odias eram acompanhados até Ibuza. Toda mala e caixa encontrou uma carregadora. Até os livros da escola de Aku-nna foram elegantemente equilibrados sobre a cabeça de Ogugua. Ela era a primeira prima de Aku-nna, uma das filhas do irmão mais velho do seu pai, Okonkwo. Elas seriam amigas, Ogugua garantiu; as duas pertenciam ao mesmo grande lar e também tinham a mesma idade.

"Você sabe", Ogugua prosseguiu, "na mesmíssima semana em que você nasceu em Lagos, eu nasci aqui em Ibuza. Meus pais têm me contado muito sobre você, que você é muito inteligente na escola e tudo mais. Agora nós vamos ser amigas. Seremos como irmãs, especialmente se a sua mãe escolher ficar com meu pai".

"Por que a minha mãe escolheria o seu pai? Como assim?", perguntou Aku-nna, confusa. As duas meninas tinham ficado para trás, absortas nos cochichos.

Ogugua se matou rindo. "Você tem quase catorze anos e ainda não conhece os costumes da nossa gente em Ibuza? Sua mãe é herdada pelo meu pai, entende, assim como ele vai herdar tudo que seu pai conseguiu trabalhando".

"Nossa!", exclamou Aku-nna, como se sentisse uma dor física. "Como a minha mãe pode se encaixar nesse tipo de vida?".

"Mas por que você se preocupa com isso? Olha, vê aquela mulher lá na frente? Consegue ver?". Ogugua estava apontando para uma das mulheres que as acompanhavam na caminhada para casa. A mulher era muito magra e caminhava mancando de uma das pernas finas. Ela parecia bastante feliz, conversando com Ma Blackie e as outras. Na cabeça, ela equilibrava um cesto que continha as panelas de Ma, colheres de pau e alguns pratos metálicos e, conforme ela falava, gesticulava seus braços ossudos e compridos. Sem dúvida, ela tinha gostado de se livrar do seu akpu para ajudar Ma a carregar alguns dos sofisticados utensílios de Lagos.

"O que tem ela?", perguntou Aku-nna, olhando sua prima com desconfiança.

"O marido dela era um homem importante, num emprego de homem branco, em algum lugar das montanhas hauçás. Bom, três anos atrás, ele morreu de repente. Um caminhão atropelou. Ele foi esmagado de um jeito que nem dava pra reconhecer. Sabe por que ele morreu assim?".

Aku-nna balançou a cabeça. Ela não sabia.

Ogugua a puxou mais para trás para que as mulheres mais velhas não pudessem ouvir o que ela estava prestes a contar para Aku-nna, que viu algo dos olhos do seu pai nos olhos de Ogugua que, como os dela, eram grandes e expressivos. Mas não era aí que terminavam as semelhanças familiares: o rosto meio quadrado, ainda não arredondado com gordura, e o movimento dos braços, que davam a impressão de não ter ossos, também eram parte das características da família. Ogugua era bem mais escura, entretanto; a pele dela estava brilhando, lustrosa com uma leve perspiração matinal. As pernas dela eram mais grossas, a voz mais alta. Ela era mais ousada, também, Aku-nna percebeu.

Ogugua puxou a prima para perto e sussurrou:

"Ele estava dormindo com uma dona de casa de Onitcha. Então o marido da mulher de Onitcha rogou uma praga. Ele não viu para onde estava indo, e o caminhão passou por cima dele e o transformou numa pasta carnosa. Nem os próprios filhos reconheceram!".

A isso se seguiu um breve silêncio, durante o qual Aku-nna tentou imaginar a pasta carnosa. Ela cuspiu no mato.

"Que horrível!", ela arfou.

"Sim", a prima concordou. "Foi uma morte horrível. Viu, a mulher lá na frente era a esposa dele. Ele se casou com ela na igreja. Eles só tiveram uma filha mimada, depois de uns dez ou" — ela começou a fazer contas nos dedos para ver se tinha calculado direito o número — "onze anos de casamento".

"Que terrível! Um casamento muito ruim mesmo", observou Aku-nna.

"Mas escute", Ogugua continuou, se animando com entusiasmo, "aquela mulher foi herdada pelo irmão do marido. Ele tem um título: ele é um Obi. Ela não é esposa do chefe, mas é muito feliz. Ela tem tudo que queria agora, até um filho".

Aku-nna bateu palmas de alegria com essa notícia.

"É como as histórias que lemos nos livros".

A prima dela não sabia de histórias em livros, mas ela conhecia um grande número de histórias folclóricas que eram contadas à luz do luar e passadas de geração a geração. E isso não era tudo. A mãe dela tinha contado que a mulher, Ma Beaty, estava mais uma vez há duas luas cheias sem menstruar.

Aku-nna quis perguntar como a mãe de Ogugua sabia disso, mas decidiu ficar quieta para que a prima não pensasse que ela não entendia como funcionava a menstruação. Ela tinha ouvido falar sobre o assunto e tinha lido um ou dois livros, mas Aku-nna ainda não tinha começado a menstruar, então ela não tinha muita certeza sobre as implicações do que a prima dissera. Entretanto, ela perguntou:

"Quer dizer que ela está grávida de novo?".

"Pode ser".

O espaço entre elas e as mulheres mais velhas agora tinha aumentado: elas ainda podiam vê-las, mas já não escutavam as suas vozes. De repente Ma Blackie olhou em volta e acenou para elas com um gesto de bronca. Ela gritou para que elas acompanhassem, perguntando o que estavam carregando que as fazia demorar tanto.

Aku-nna começou a ver a mãe por outra perspectiva. Uma mulher alta, de costas retas, com a pele muito preta e reluzente, que lhe tinha valido o elogioso nome "Blackie, a mulher preta". Mesmo quando ela falava no escuro, seus dentes brilhavam. Ela era magra, mas não esquelética. Como suas amigas, ela também tinha uma voz poderosa; mas, ao contrário da maioria, a vida dela tinha sido relativamente fácil. Ma Blackie nunca tinha precisado carregar um cesto de akpu. Ela teria que fazer isso agora, já que Nna tinha morrido? Pobre Mãe, Aku-nna pensou. Ela teria que se esforçar na escola para que pudesse se tornar uma professora — era assim que ela poderia ajudar a mãe. Aku-nna lembrou como o pai tinha falado sobre ela obter mais estudo, mas esse sonho tinha sido enterrado junto com ele em Igbobi. Ela só podia rezar para que o tio — o novo pai dela, ele seria em breve — permitisse que ela completasse o ensino primário. Lágrimas encheram seus olhos e ela os limpou rápido antes que, com Ogugua, alcançassem as adultas à espera.

As mulheres recomeçaram a falar, mas as duas meninas ficaram quietas. Os ouvidos de Ogugua estavam alertas, absorvendo todos os detalhes da conversa. Mas Aku-nna e seu irmão mais novo estavam perdidos em pensamentos confusos de muitas coisas diferentes.

Uma sineta de bicicleta soou longe, para trás delas. Na verdade, havia dois ciclistas, mas a bicicleta de um deles era velha e a sineta não funcionava, apesar das tentativas desesperadas. Isso era obviamente uma frustração para ele, principalmente porque o outro com a sineta barulhenta tinha sido bem-sucedido em atrair a atenção do grupo de mulheres na frente deles. O ciclista da bicicleta velha tentou compensar pedalando ostensivamente em zigue-zague, fazendo as mulheres estremecerem e correrem para a beira da floresta, abrindo espaço na estrada para a passagem dos ciclistas.

Porém, eles decidiram não avançar e pararam a fim de conversar. O homem na bicicleta nova era um professor na escola da Igreja da Sociedade Missionária — exatamente a igreja que a família Odia passaria a frequentar. Ele conhecia Ma Blackie e tinha ouvido sobre a morte do seu marido, então ele desceu da bicicleta e cumprimentou a mulher, dedicando especiais boas-vindas à família enlutada.

"As crianças sem dúvida cresceram. Graças a Deus", ele terminou com ares de consolação.

As mulheres concordaram, entendendo o que ele queria dizer. As crianças logo poderiam se virar sozinhas.

Aku-nna olhou para o homem. Ele as chamava de crianças, mas ele próprio não era tão velho. Tinha talvez dezoito ou dezenove. Então por que chamá-las de crianças? Ele devia ser uma pessoa cheia de orgulho. Ela não escutou sua mãe dizer que ela cursaria o último ano da escola com aquele professor. Todos se referiam a ele como O Professor, como se fosse o nome dele, um título ou algo assim. Era de se pensar que ele não tinha nome próprio.

"Aku-nna, você está dormindo?", Ma chamou. "Esse é o seu novo professor. Você ficará nas mãos dele". Ela empurrou a filha para a frente como se dissesse aí está, ela é sua pupila, ensine!

Aku-nna sorriu de modo tímido e disse: "Bom dia, senhor", perguntando-se por que alguns professores eram tão jovens e outros tão velhos. O professor fez uma breve saudação recebendo o cumprimento dela.

Ele era tão alto e anguloso que, se não fosse pela cor, era de se imaginar que fosse estrangeiro. A testa dele era muito alta, como a de um homem que ficaria careca em poucos anos, mas, nesse momento, o cabelo dele tinha crescido livre até ficar longo, com cachos fechados na frente, cortado mais rente nas laterais e atrás, no estilo conhecido como "Sugar Baby". Esse estilo volumoso na frente caía bem no rosto fino do professor, dando a ele um aspecto mais retangular. O queixo dele era pontudo e ele parecia estar em meio a tentativas inúteis de deixar crescer uma barba engraçada. Ele sorria agora, exibindo um conjunto parelho de dentes, e então começou a falar com uma voz baixa, encorpada, e muito lentamente, com total controle, como se fosse insuscetível a emoções. Talvez ele não fosse tão jovem quanto parecia, pensou Aku-nna.

"Gostaria que eu desse uma carona para o menino até a casa?", ofereceu o outro ciclista em algum momento. Ele estivera distante, observando desinteressado os cumprimentos e as apresentações.

"Obrigada, isso ajudaria", Ma Blackie aceitou com gratidão. "Suba na bicicleta, filho, e o amigo do professor vai levar você para casa. Aliás", ela perguntou ao rapaz, "quem são seus pais e de que parte de Ibuza você é?".

"Meu nome é Okine. Eu sou de Umuodafe, o primeiro filho de Odogwu".

"Oh, meu Deus, meu bom Deus!", foi a exclamação animada de Ma Blackie. "Como não reconheci você? Ficou alto como uma palmeira. Aku-nna, Nna-nndo, venham aqui dizer olá ao primo de vocês, o filho de Odogwu".

Novamente as crianças foram empurradas para a frente. Aku-nna não sabia se ela deveria dizer "bom dia, senhor" em inglês, como ela dissera ao professor, ou se ela deveria se dirigir a ele com o cumprimento especial "Odozi ani". Confusa, ela e o irmão apenas deram um passo à frente como marionetes movidas por uma grande força, sorrindo e balbuciando alguma forma de saudação ouvida e compreendida apenas por eles mesmos. Foi Nna-nndo quem primeiro encontrou a própria língua e falou em voz alta:

"Mãe, nós temos tantos primos e tios em Ibuza". Os outros riram, pois ele tinha razão. Quase todo mundo em Ibuza era parente. Todos se conheciam, e aos contos dos ancestrais uns dos outros, suas histórias e feitos heroicos. Nada era escondido em Ibuza. Era o dever de todo membro da cidade desvendar e conhecer as vidas dos vizinhos.

Por um momento, todos conversaram ali de pé. Os jovens rapazes tinham a personalidade notável e bem-humorada herdada de pessoas que havia muito tempo tinham aprendido a arte da vida comunitária. Foi acordado que Nna-nndo, o filho da casa, aceitaria a carona na bicicleta de Okine, já que ele era seu primo. O professor, sem dúvida o mais rico entre os rapazes, não era um parente próximo, embora ele logo fosse criar uma conexão com a família quando as crianças fossem à escola, então, após alguma hesitação, ele sugeriu que poderia dar uma carona a Aku-nna. Houve uma súbita calmaria no grupo barulhento. O canto dos papagaios do mato pôde ser ouvido, assim como os sons dos velozes répteis pelo chão, cada um seguindo seu rumo sobre o tapete de folhas secas.

Aku-nna olhou de uma pessoa para outra. Estavam esperando que ela decidisse? A bicicleta era bastante nova. O professor era simpático e bonito. Mas ela confiava mais nos seus dois pés do que numa bicicleta. E se eles caíssem? Ela poderia morrer; seria como uma maldição dos deuses haver duas mortes tão próximas na mesma família. Não, ela não aceitaria. Ela estava nervosa demais.

"Não, muito obrigada", ela disse em voz alta logo depois.

Ma Blackie começou a falar muito rapidamente e em tom elevado, como se todas as ouvintes tivessem de repente ficado surdas. "Ela é uma covarde, essa minha filha. Sabia que ela ia dizer alguma coisa assim. Todo o seu grupo etário em Lagos andava de bicicleta, mas não a minha filha. Muito medrosa!".

"Eu não a culpo", Ma Beaty disse. "Eu sinto medo pelos jovens quando eles andam muito rápido, ainda mais com as colinas nessa estrada. Não se preocupe, professor, deixe ela caminhar para casa conosco. Ela não está acostumada com tanta caminhada, e já passou da hora de aprender. Ela vem ficando para trás o tempo todo".

Todos riram, exceto Aku-nna. Ela tentou esconder o rosto se virando para o mato. Sim, ela estava cansada. Não tinha se dado conta de que sete milhas eram uma jornada tão longa para se fazer a pé. Mas ela desejou que o professor e seu amigo fossem embora e parassem de encará-la.

Os rapazes a encaravam, mas não viam uma covarde que não ousava fazer o que outras meninas da sua idade faziam. Eles viam uma garota jovem e bonita de catorze anos de idade com pele marrom-dourada, em quem os seios pequenos e pontudos marcavam presença por baixo da fina blusa de náilon que ela estava vestindo. Havia um tipo de delicadeza nela, pois ela ainda não fora marcada pela vida, como tinham sido as garotas nascidas e criadas em Ibuza. Seus olhos grandes eram como poças frescas mas turbulentas em seu rosto, e agora ela levantou as pálpebras desses olhos e olhou diretamente para o professor, como se implorasse que ele partisse. O professor, que, apesar da sua aparência mais jovem, tinha vinte e quatro anos, interpretou corretamente a mensagem de Aku-nna e deu um tapinha no ombro do amigo.

"Vamos embora. Tenho certeza de que elas gostariam de se banhar no Rio Atakpo". Ele se afastou um pouco e então murmurou "Até mais, Aku".

Foi um acontecimento menor na cabeça de Ma Blackie, e as mulheres logo esqueceram dos rapazes e retomaram a conversa de antes, comentando isso e aquilo, falando e falando como um bando de papagaios malucos. Ninguém esperava para ouvir o que a outra pessoa tinha a dizer.

Elas tinham cruzado todas as fazendas pertencentes aos povos de Asaba e estavam começando a entrar naquelas pertencentes ao povo de Ibuza, repletas de milhares de plantas de inhames, cada uma com seu caule delicado enrolado cuidadosamente dando voltas ao redor de uma haste enterrada. Também havia fazendas de mandioca, com caules mais fortes e folhas pequenas. Elas começaram a encontrar agricultores madrugadores; alguns seguravam pedaços de madeira pegando fogo, que eles sacudiam para um lado e para o outro a fim de manter a chama viva até que chegassem à sua plantação e pudessem começar uma fogueira.

Quando as mulheres chegaram ao pequeno Rio Atakpo, elas descansaram na margem. Algumas colheram água entre as mãos e mataram a sede.

"Vamos descer lá e tomar um banho", convidou Ogugua.

"Com todas essas pessoas olhando?", perguntou a desnorteada Aku-nna.

"Você está me saindo uma pessoa muito esquiva, minha prima. O que está escondendo? Você tem três seios ou algo assim?".

Aku-nna sabia que não era esse o problema dela, mas ela também sabia que seria preciso um terremoto para fazê-la tirar as roupas ali do jeito que a prima estava fazendo.

"E todos esses homens a caminho do campo?", ela sussurrou para Ogugua. "Eles estão olhando para você, e se o professor e o amigo dele ainda estiverem escondidos no mato esperando para nos ver peladas, e então?", ela concluiu, feliz por ter apresentado seu argumento.

Suas palavras só fizeram a prima rir. "Ainda bem que você veio pra casa. Você não sabe nada de nada. O professor já viu montes e montes de mulheres nuas tomando banho. Por que o seu corpo em particular seria mais interessante que os outros? E, além do mais, ele já teve muitas amantes e namoradas. Apenas tome cuidado", Ogugua nadou para longe da prima, se perguntando se elas seriam amigas afinal de contas. Só porque ela vinha de Lagos e falava baixo, os homens pareciam gostar dela. Ela nadou de volta para onde Aku-nna estava sentada sobre a grama úmida e descuidada da margem, refrescando seus pés cansados dentro da água lenta do rio.

"Você precisa ter muito cuidado. Aquele homem, o professor: ele não é um de nós, sabe. Nenhuma garota decente de uma família de Ibuza tem permissão para se envolver com ele. Meu pai ia preferir ver uma filha morta do que permitir essa amizade".

"Por quê? O que ele fez? Por que ele não é um de nós? A família dele não é da cidade?".

Ogugua se matou de rir mais uma vez e então saiu nadando para a parte mais escura do rio, deixando a prima perdida em pensamentos. Aku-nna estava começando a odiar essas explosões de riso. Que importância tinha se o professor era um deles ou não? Tudo que ela precisava dele era conseguir seu diploma. Ela ficou encucada; se sentia perturbada pelo que Ogugua dissera, apesar de ter tentado tirar aquilo da cabeça. Teria que fazer perguntas à mãe em algum momento.

Elas chegaram em casa quando o sol estava a meio caminho

do meio-dia. Prometia ser mais um dia quente, ainda que, àquela hora da manhã, a temperatura estivesse bastante suportável, com um vento soprando desde os muitos riachos e farfalhando as folhas das imensas árvores tropicais. Okonkwo ainda não saíra para o campo. O professor e seu amigo Okine o tinham avisado, quando entregaram Nna-nndo, que o resto da família do seu irmão estava vindo. Ele rapidamente tirou a tanga e vestiu outra, cinza e suja, sentou-se diretamente no chão e começou a lamentar-se, como se o irmão tivesse acabado de morrer. Outros homens que ainda não tinham saído para o campo logo descobriram do que se tratava todo aquele choro e se juntaram a Okonkwo. Gastou-se um tanto de pólvora em tiros para o ar e aquele dia se tornou um dia de luto, um feriado.

Foi com essa atmosfera de luto renovado que Ma Blackie e suas ajudantes foram recebidas. Conforme elas se aproximavam da aldeia, as mulheres pararam de falar e começaram a exclamar os nomes de louvor de Ezekiel Odia.

"Quem se casou com sua esposa na igreja?", perguntavam. "Quem mimou os filhos com riquezas? Quem era um bom trabalhador?". Quem fez isso e aquilo: assim elas se repetiam, cantando e chorando ao mesmo tempo.

Foi uma mudança surpreendente que essas mulheres em menos de cinco minutos passaram de discutir os últimos modelos de roupas para de repente estarem tão acometidas de dor. Quando até Ogugua começou a chorar, Aku-nna teve que fazer o mesmo. Se o que se fazia em Ibuza era rir num minuto e uivar no outro, então era melhor se juntar. Afinal, ela ia ser um deles.

Homens jovens se reuniram e, em menos de duas horas, ergueram uma cabana na qual Ma Blackie deveria ficar e chorar seu marido morto por nove luas cheias. A duração do luto era maior que as habituais sete luas porque Ezekiel Odia, para garantir que sua esposa seria sempre sua, tinha tomado a precaução de cortar um cacho de cabelo da cabeça de Ma Blackie e o guardara como prova. Depois que um homem dava esse passo, a esposa dele nunca poderia deixá-lo, pois fazer isso seria cometer uma abominação; e tais mulheres, caso o marido morresse, tinham que fazer o luto por nove luas. Esse período era tão crítico para uma viúva que, antes do seu fim, ela mesma poderia morrer, e isso seria visto como um indicativo claro de que ela fora responsável pela morte do marido.

Ma Blackie ficaria sozinha nessa cabana especial; até que os meses de luto terminassem, ela não poderia visitar as pessoas nas suas casas. Ela não poderia tomar nenhum banho. Nenhuma tesoura nem pente deveria tocar seu cabelo. Ela precisaria vestir os mesmos trapos gastos. O fato de que ela viera vestida com algodão preto causara muita controvérsia, e as mulheres da família estavam divididas na questão. Algumas diziam que Ma Blackie podia ficar com essas roupas e usá-las durante o tempo de luto, outras insistiam que ela não deveria.

"Ela está procurando um novo marido enquanto faz o luto?", perguntava o último grupo. "É adequado que ela vista apenas trapos".

A longa discussão foi encerrada por Okonkwo, o chefe da família, que possuía o título de Alo, mas tinha a ambição de chegar ao título mais alto de Eze, que poderia ser dele assim que tivesse suficiente dinheiro. Ele já estava de olho na esposa do irmão, nas propriedades do irmão, e no preço de noiva que a filha do irmão renderia, e ele decidiu que Ma Blackie tinha autorização para fazer como quisesse.

"Deixem que ela use o algodão preto se ela tem vontade. Deixem que ela use um lenço preto na cabeça também. Ela se casou na igreja, por que deixaríamos que ela ficasse infestada de piolhos?".

Houve um burburinho perceptível conforme todos entendiam a mensagem por trás desse anúncio. Okonkwo Odia queria que a esposa de seu falecido irmão ficasse na família, tornando-se sua quarta esposa.

TRADIÇÕES

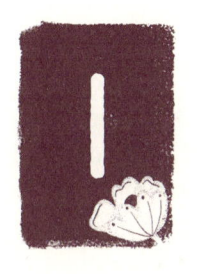

Ibuza ficava no lado oeste do Rio Níger, na área que depois passou a ser conhecida como estado Centro-Oeste da Nigéria. Independentemente do quanto os políticos tenham partido e repartido o mapa no papel, porém, os habitantes da cidade continuaram igbos. A História — os registros orais, passados de boca a boca de uma geração para a seguinte — diz que eles tinham imigrado de Isu, uma cidade a leste do rio, e, apesar de ninguém poder ter certeza quanto a essa afirmação, sem dúvida havia evidências para sustentá-la. As tradições, os tabus, as superstições e os ditados de Ibuza eram muito similares àqueles ainda encontrados em Isu.

Eram essas mesmas tradições que, na época, o começo dos anos 50, guiavam e controlavam a maioria dos filhos e filhas de Ibuza, mesmo aqueles que deixavam a cidade para trabalhar nos empregos dos homens brancos. Ma Blackie e sua família não eram exceção. Nove meses depois da morte do marido, uma cabana foi construída para ela ao lado da cabana da mãe de Ogugua e, quando chegou a hora, era ali que ela era visitada à noite por Okonkwo. Ela se tornou sua quarta esposa.

Com a passagem dos meses, ela viu a sorte que tinha com os filhos. Aku-nna, agora com quase quinze anos, era inteligente e uma promissora beldade. Nna-nndo, apesar de parecer gostar mais da vida desregrada que da escola, estava se adaptando bem. O pouco dinheiro que Ma tinha conseguido guardar da gratificação do marido ela investiu em sementes de palma, pois não queria ter que carregar cestos de akpu sobre a cabeça até o mercado. O negócio dela era diferente e menos desgastante: ela ia até a cidade de Ogwashi para comprar as sementes, empacotá-las e enviá-las para Ibuza no único caminhão que fazia essa rota. Nos dias de mercado Nkwo, os pacotes eram transportados para Asaba, e Ma seguia-os a pé; ela vendia as sementes para mercadores igbos do leste, que as processavam e exportavam para a Inglaterra para serem usados na fabricação de sabonetes de marcas famosas. As barras de sabonete eram então reimportadas para a Nigéria, e mulheres como Ma Blackie as compravam. As sementes completavam, assim, uma jornada circular.

Ma Blackie automaticamente pertencia à elite, já que os filhos iam à escola, e isso era motivo de disputa entre Okonkwo e suas outras esposas e filhos. Elas podiam tolerar que Nna-nndo fosse à escola, pois ele era um menino, e também seu pai tinha deixado mais de cem libras guardadas e tinha se juntado a um grupo progressista de Ibuza chamado Associação Pioneira, cujo objetivo era garantir que, em caso de morte de qualquer membro, o primogênito da família estudaria até o nível secundário. Então não havia nada que Okonkwo pudesse fazer para impedir a educação de Nna-nndo; no mínimo, ele terminaria a escola secundária. Okonkwo se admirava imensamente com isso. Imagine! Seu irmão mais novo sendo prudente a ponto de fazer planos com tanta antecedência para o filho. Era uma lição importante. Nenhum dos filhos de Okonkwo, entretanto, demonstrava apreço pela escola; a escola era para onde se enviavam os escravos da família, eles resmungavam para o pai, não um lugar para os filhos de um homem livre, mas ele sabia que, na verdade, as queixas se davam porque eles não se adequavam ao que a escola exigia. Antigamente, escravos eram enviados à escola só para aplacar o julgamento dos missionários brancos, mas os acontecimentos posteriores mostraram que eram esses mesmos escravos educados que acabavam em posições importantes de chefia. As mesmas pessoas que, antes, eram destinadas a enterrar os homens livres e serem enterradas vivas com eles, agora tinham tanto dinheiro e poder que ninguém ousaria chamá-las de descendentes de escravos na frente delas. Okonkwo suspirou, resignando-se ao inevitável.

"Não há nada que eu possa fazer a respeito", ele disse ao seu filho mais velho, um jovem de vinte anos.

"Sim, eu sei que não pode fazer nada sobre o menino. Mas e quanto àquela coisinha, como se chama, Aku-nna? Por que desperdiçar dinheiro com ela?", esbravejou Iloba. Ele era um agricultor promissor, trabalhando muito para conseguir uma esposa, mas ele sabia, no fundo, que não passava de um agricultor.

"Eu nunca faria uma tolice como pagar pelos estudos dela", Okonkwo estava na defensiva. Ele suspirou de novo; se pelo menos Aku-nna fosse sua própria filha. Em voz alta, ele ponderou: "A mãe dela paga. E ela com certeza não vai para uma faculdade. Então ela tem só mais alguns meses na escola". Aqui ele deu uma gargalhada.

Os filhos dele não podiam entender que motivo havia para riso e não estavam satisfeitos. Iloba chegou a olhar para ele como se começasse a duvidar da sanidade do pai.

"Vocês não enxergam além do próprio nariz", disse Okonkwo. "Vocês são jovens demais. Não sabem que eu pretendo me tornar um Obi e conseguir o título algum dia?". Para se tornar um Obi e receber o respeitado título de Eze, um homem tinha que fazer um grande e dispendioso sacrifício aos deuses. Então ele recebia o chapéu vermelho que apenas os que chegavam a esse cargo de chefia tinham o direito de usar e, a essa ocasião, seguiam-se dias de grandes banquetes e bebedeiras; em tempos passados, um escravo teria sido morto para marcar a extravagante celebração.

"Bom, o que isso tem a ver com Aku-nna?", perguntou Iloba.

"Aku-nna e Ogugua vão se casar em torno da mesma época. Seus preços de noiva virão para mim. Você sabe como é hoje em dia, as garotas com educação valem mais dinheiro".

Agora os filhos dele sorriram. E também sua jovem esposa que, sob o pretexto de limpar os excrementos das cabras, estava ouvindo tudo. Então Aku-nna podia, afinal, fazer jus a seu nome e tornar-se uma "riqueza do pai"; engraçado como alguém, sem nem se dar conta, pode acabar cumprindo as expectativas dos pais. Infelizmente, seu próprio pai não tinha vivido o suficiente para compartilhar da riqueza que Aku-nna ia trazer, mas nada a se preocupar, Okonkwo era quase um pai para ela agora. Os filhos dele se tranquilizaram e se maravilharam com a inteligência e a experiência que seu pai tinha acabado de demonstrar. Ele queria ser um Obi, então precisava de mais dinheiro. Aku-nna tinha que continuar frequentando a escola para que se casasse com um homem rico, de alguma daquelas novas famílias emergentes que pipocavam como cogumelos por toda Ibuza.

Eles caminharam em silêncio até a cabana da mãe deles, Ngbeke. À porta, Iloba comentou: "Acontece em todo lugar agora, você sabe. Não ouviu falar que o primeiro médico que temos nessa cidade vai se casar com uma garota de Ogwashi-ukwu? E que os pais dela estão pedindo que o médico pague quase duzentas libras como preço de noiva?".

"O que ela tem de tão especial que o médico vai ter que pagar um preço tão alto?", seu irmão Osenekwu quis saber.

"Ela é uma enfermeira e trabalha em hospitais cuidando de mulheres que deram à luz. É só isso. Quem conhece diz que ela não é especialmente bonita, mas dizem que o médico a ama".

"Ummm, pode ser, mas é um monte de dinheiro para pagar por uma mulher comum". Ele pensou um pouco e acrescentou: "Eu não vou me importar se Aku-nna nos conseguir uma soma tão grande. Esse dinheiro vinha bem a calhar".

Os dois riram enquanto encurvavam seus corpos altos para entrar na cabana cavernosa da mãe para a refeição da noite.

Ngbeke olhou para eles com desconfiança e perguntou sem rodeios o que eles estavam conversando com o pai. "Não me digam que não era nada importante, porque eu vi. E o jeito que vocês dois riram agora me diz que tem alguma coisa acontecendo".

"É conversa de homens", Osenekwu respondeu pomposamente, sentindo-se muito importante no auge dos seus dezessete anos. "Ogugua, traga nossa comida, ou hoje não temos refeição?".

"Temos refeição, mas Ogugua está enchendo meu cachimbo para mim", respondeu a mãe em seguida.

Na verdade, Ogugua não estava fazendo nada. Ela estava sentada no degrau de barro da porta dos fundos, mexendo no nariz, e tinha visto e ouvido tudo que estava se passando. Ela já tinha comido a sua própria refeição e era cedo demais para chamar os amigos para uma brincadeira noturna, mas tarde demais para ir a qualquer lugar sozinha. Ela entendeu o recado da mãe e começou a encher o cachimbo com as folhas de tabaco que o pai tinha enviado naquela manhã. Feito isso, ela o entregou à mãe e trouxe um graveto incandescente da fogueira do fundo da cabana. A mãe deu uma lufada e engoliu um pouco da reconfortante fumaça do tabaco, sacudindo o pé como um cachorro contente. Então ela franziu a testa na direção dos dois filhos, que ainda conversavam em voz baixa, exibindo sua discussão secreta.

"Então meus filhos cresceram tanto que eu fiquei burra demais para conhecer seus pensamentos, é?". Ela tossiu e deu uma risada amarga, mostrando os dentes escuros, resultado de anos fumando tabaco. "Bom, o que o pai de vocês decidiu fazer sobre a grande dama da família?".

"Quem é a grande dama, e como você sabe que estamos falando dela?", Iloba exigiu saber.

A mãe não respondeu de imediato. Ela puxou e tragou, fechou os olhos e os abriu de novo. Então, riu e tossiu, cuspindo um pouco de saliva preta e disse: "Eu sei porque sou a mulher que ensinou ao seu pai o gosto de uma mulher. Eu desvirginei o pai de vocês e ele me desvirginou. E eu pari vocês. E se ele agora se tornar um Obi, sou eu quem ele vai levar para Udo com ele. Sou eu que vou usar as tornozeleiras de cordão. Então como eu não saberia? Ogugua, dê a comida aos seus irmãos. Eles estão com fome".

Ela desviou o olhar dos filhos e, como se falasse consigo mesma, espremendo os olhos na fumaça: "Okonkwo está cometendo um erro. Não é certo colocar tanta expectativa sobre a filha do irmão dele. Ele poderia ter enviado as suas próprias filhas à escola se tivesse pensado nisso antes".

"Mas, mãe, Aku-nna agora é como uma filha para ele. De fato, de acordo com as leis e costumes nativos, ela é filha dele. Nosso pai não dormiu com a mãe dela?", Iloba disse, esquecendo que eles não deveriam contar à mãe, já que esses assuntos não podiam ser discutidos com as mulheres. "Meu pai não está dando inhame para eles, desde que vieram de Lagos? Como pode falar assim, mãe?".

"Coma sua refeição, meu filho. Você está com fome".

"Aku-nna vai se casar com um homem rico", disse Osenekwu com a boca cheia de purê de inhame e sopa de egusi. Ele continuou repetindo essa frase, como se para convencer-se de que seria assim. Aku-nna ia se casar com um homem rico e levar toda a família Odia da pobreza à riqueza.

"Fique quieto e me deixe escutar outras coisas", sua mãe o repreendeu. "Com que homem rico ela vai se casar? O filho de um escravo que dá aulas na escola? Como você tem certeza de que a mãe dela vai permitir que seu pai fique com todo o preço de noiva? Você esquece que a mãe dela se casou na igreja. Esquece que ela foi educada por europeus em Ugwu-Ogba. Ah, vocês esquecem muitas coisas, meus homens bobos, vocês esquecem muitas, muitas coisas", ela terminou, como uma cantora encerrando no refrão.

Os filhos olharam para ela. Do que ela estava falando? Ma Blackie não poderia estar usando o pai deles para educar seus pirralhos fracos e mimados, poderia? Então Iloba gritou para a mãe: "Meu pai e ninguém mais vai ficar com esse preço de noiva!".

"E quanto a Nna-nndo? Outro dia, a mãe dele disse que ele precisa ir para a faculdade. Como você acha que ela vai pagar por isso, com taro? Ela também está de olho no preço de noiva da filha. A nova lei europeia vai ficar do lado dela se ela reivindicar o dinheiro para o filho dela. Então vocês deveriam ter dito ao seu pai que pensasse como um homem. Desde quando ele está no mundo da lua, sonhando com uma menina magricela com nada além de olhos grandes que perambulam no rosto dela como os de um rato assustado cujo crânio foi esmagado no chão? Eu não vejo nenhuma força naquela menina. Vocês conseguem imaginá-la tendo filhos? Seus quadris são tão estreitos, e ela ainda nem começou a menstruar; nem temos certeza ainda se ela é uma mulher. Vejam a irmã de vocês: elas têm a mesma idade, e ela começou quase um ano atrás. Não fosse pelo fato de que pedi ao seu pai que esperasse até ela ter quinze anos, ela poderia ter se casado durante o último festival do inhame. Ninguém se iluda quanto à sua irmã, porque ela nasceu aqui, porque é minha filha, porque não coloco ela num vestido nem a ensino a rebolar a bunda quando caminha, porque não ensino a misturar perfume no óleo de coco que ela passa no corpo. Essa Aku-nna não vai trazer nada de bom, estou dizendo. Ela e a mãe dela são orgulhosas demais", Ngbeke concluiu, agora puxando e tragando mais forte que nunca.

De novo os filhos observaram. Eles não viram a inveja nos olhos da mãe, mas sabiam que ela estava falando algo que podia ser verdade. Aku-nna era diferente. Ela não recebia autorização para participar de brincadeiras agitadas ao luar. Ela não podia fazer parte da dança que o seu grupo etário estava ensaiando para o Natal. Havia uma delicadeza nela que emanava paz; ela podia sentar e ouvir alguém por horas e apenas sorrir o tempo todo sem dizer nada. E os livros que o professor estava sempre emprestando para ela! Sim, a mãe deles tinha razão. Aku-nna logo teria quinze anos, ainda estava na escola e não menstruava. Que tipo de garota era essa?

"Mãe, você acha que aquela menina pode ser uma ogbanje?", Iloba perguntou então.

A mãe deles suspirou de alívio; os filhos não haviam percebido a inveja nas suas palavras. Ela se ressentia de Ma Blackie por roubar a cena na família que ela tinha ajudado o marido a construir. Ela não tinha se incomodado quando ele tomou mulheres mais jovens como esposas, mas, agora que ele tinha passado para mulheres que estavam acima dele em todos os aspectos, ela se sentiu terrivelmente afrontada. E que a mulher fosse mercadoria de segunda mão, essa mulher conhecida como Blackie, era um insulto a mais. Afinal, essa mulher Blackie não tinha recebido sua parca educação na casa de uma gentil mulher comerciante que a tinha quase comprado, do jeito que se compra um escravo? Ezekiel foi idiota em se casar com ela, pra começo de conversa. Só porque ela usava perfume e gostava de delinear os olhos com tinta preta! E aquela filha dela: exatamente como a mãe.

Entretanto, ela precisava esconder esses sentimentos dos filhos, e estava feliz que a ideia de Aku-nna ser uma ogbanje, uma "morta-viva", tinha ocorrido a Iloba. Ela havia esquecido que isso podia servir como uma válvula para sua inveja. Ela logo se recompôs, percebendo que os filhos estavam quietos e esperando por uma resposta.

"Sim, tenho certeza de que ela é", ela pronunciou com pena. "Ela é diferente. Vocês alguma vez já conheceram alguém que raramente fala? Eu preciso conversar com a mãe dela amanhã. Tenho medo dessas garotas que são ogbanje. Todas elas parecem se comportar bem, mas só estão neste mundo de passagem e, quando chega a hora, elas têm que ir. Todas morrem jovens, geralmente no nascimento do primeiro bebê. Elas precisam morrer jovens, porque seus amigos no outro mundo chamam elas de volta. Fico feliz que nenhuma das minhas três meninas era uma ogbanje e que só me deram tipos de problemas que posso enfrentar, problemas que posso ver. Uma mãe fica mesmo em maus lençóis quando uma filha causa esse tipo de problema de outro mundo".

"Temos como salvá-la, Mãe?", Iloba perguntou agora assustado. "Afinal, ela é nossa irmã". Apesar de ter apenas vinte anos, ele tinha visto muitas meninas morrerem dando à luz. Essas mortes eram geralmente muito dolorosas, porque as garotas tinham invariavelmente entre catorze e dezoito anos, eram as delicadas e retraídas, sem muita energia. Agora parecia que a prima deles, irmã deles, era assim. Apesar de tudo, Iloba gostava de Aku-nna, sentia orgulho das pequenas conquistas dela.

"Imagino que seja possível hoje em dia", disse Ngbeke, "caso se consiga um poderoso curandeiro para levá-la ao lugar onde o pacto com os espíritos foi feito. Custa muitíssimo dinheiro. É com isso que a mãe dela deveria estar se preocupando, em vez de ensinar a balançar a bunda em saias curtas e deixar que ela converse com o filho de Ofulue".

"O filho de Ofulue? Quer dizer Chike, o professor da escola? Mas ele é filho de escravos, Mãe, e conhece seu lugar. Chike é só o professor de Aku-nna. Ele não tem como não falar com ela, porque ela está na turma dele. Ela não poderia estar interessada nele desse jeito!", exclamou Iloba com um gosto salgado na boca. Se isso fosse verdade, era o maior insulto imaginável para uma família como a deles, que nunca tinha sido manchada com o sangue de um forasteiro, muito menos de um descendente de escravos.

"Vou matar Aku-nna se for verdade", Osenekwu prometeu a si mesmo.

Ogugua, que tinha ouvido sem participar da conversa, sentiu que era hora de dizer algo em defesa da amiga. Ela apenas intuía que a mãe estava sendo desnecessariamente maldosa, mas a educação que recebera a impedia de fazer esse comentário.

"Chike gosta de Aku-nna, mas simplesmente porque ela quer aprender e ele está ajudando. Ele sabe o lugar dele. Ele não nasceu nessa cidade? Ele não conhece nossos costumes? Ele não viu seus irmãos buscarem esposas de fora de Ibuza? Bom, eles nem mesmo são bons amigos. Ele repreende Aku-nna nas aulas, na frente de todos os meninos".

"Onde há fumaça, há fogo, minhas crianças. Espero que seja apenas um boato. Mas, mesmo que seja, é melhor cortar o mal pela raiz".

"Não devemos dar ouvidos a essas coisas, Mãe. É só fofoca maliciosa. Como poderia uma menina quietinha como aquela atrair um homem educado como Chike, o diretor de uma escola... e um escravo comum?".

"Não devemos nos intrometer", a mãe deles finalizou. "Mas não esqueçam que eles têm dinheiro. E dinheiro compra qualquer coisa hoje em dia".

Os rapazes vestiram suas roupas longas para a noite e saíram da cabana. Era hora de visitarem suas pretendidas.

Ngbeke tinha dito que onde há fumaça, há fogo, e ela tinha razão. Chike estava se apaixonando por sua pupila de quinze anos sem se dar conta; e mesmo que ele tivesse percebido o que lhe acontecia, seria incapaz de interromper o processo. Ele nunca tinha visto uma garota tão dependente, tão insegura, tão temerosa do seu próprio povo.

A escola da sociedade missionária onde Chike Ofulue era professor e diretor funcionava como uma igreja também. O prédio era comprido, caiado de branco, mas as coberturas das janelas eram escurecidas com folhas pretas de uli. As janelas eram circulares, as portas eram muito pequenas e o teto era artisticamente coberto com folhas de akanya.

A primeira coisa que Aku-nna e seu irmão estranharam muito foi o tamanho dos meninos. Esses meninos certamente não eram mais meninos: a maioria eram homens. Havia apenas três garotas em toda a escola e, como ela descobriria mais tarde, ela era a mais velha de todas e na turma mais avançada. Naquele primeiro dia, ela se agarrou à bolsa da escola para se tranquilizar.

"Olá", uma voz baixa sussurrou ao pé do ouvido dela.

Ela ficou tão assustada que quase pulou. Ela estava preocupada observando, bem à sua frente, um jovem rapaz escalando uma estrutura de barro bastante instável e tentando alcançar um sino. Era a primeira vez que ela via um tocador de sino e estava maravilhada com a agilidade dele quando ouviu o olá. Virando a cabeça, Aku-nna viu que a saudação vinha do professor. Desde que tinham se conhecido no primeiro dia dela em Ibuza, ela o tinha visto com frequência, uma vez na igreja, onde ele estava conduzindo o coral, e outra vez quando ele estava correndo para as plantações dele e ela estava lavando algumas roupas no Rio Atakpo.

"Bom dia, senhor".

Ela estava prestes a sair de fininho para se misturar aos alunos ao redor, distribuídos em grupos de dois ou três e conversando entre si, quando ele a interrompeu: "O que você acha dessa escola? Sei que deve ser muito diferente de qualquer escola que você já viu antes".

Ele tinha razão nisso. Ela nunca tinha visto uma escola coberta com folhas, nem tinha visto um homem subir e descer a cada badalada do sino, como um macaco. Ela sorriu polidamente, para evitar ter que dizer qualquer coisa. O professor sorriu também e a deixou, pois o sino tinha parado e toda a escola estava começando a se reunir sobre a grama verde.

Eles fizeram uma breve cerimônia a céu aberto. O professor, de bermuda e camisa brancas e de gravata preta, perfeitamente ajustada, com linhas brancas diagonais na estampa, disse todas as orações necessárias. O homem branco, que era o chefe da Missão, ficou à parte, com uma aparência muito velha e desconfortável em sua longa túnica branca; o sol já tinha saído e o pobre homem branco, agora cor de café, ficava secando a sobrancelha enquanto se mantinha de pé sob uma das inúmeras mangueiras plantadas por todo o amplo complexo, cantando com voz trêmula quando se juntou à cerimônia.

Quando chegou a hora dos discursos, o homem branco falou num estranho tipo de dialeto que ele parecia considerar que era igbo. Ele não percebeu que o público estava com tanta dificuldade de entender que teria sido melhor se ele simplesmente tivesse se dirigido a eles em inglês. Mas isso teria ofendido o Reverendíssimo Osborne, que tinha vindo lá de Oxford, na Inglaterra, e tinha passado muitos anos aprendendo o idioma igbo. Ele deu boas-vindas de volta das férias e disse que esperava que as famílias de todos estivessem na sua melhor saúde, e pediu a cada membro da escola que transmitisse os cumprimentos e as bênçãos dele aos pais e mães e primos e amigos. Toda a escola aplaudiu. O Reverendo Osborne tinha captado bem o espírito africano no fim das contas.

Aku-nna e Nna-nndo logo se acostumaram com as coisas em Ibuza, aprendendo na escola os modos de vida europeus e voltando para casa, onde encontravam as incontáveis e imutáveis tradições do seu próprio povo. Ainda assim, eles eram como peixes indefesos capturados numa rede; nessa situação, eles não podiam voltar ao mar, pois tinham sido capturados rapidamente, mas ainda estavam vivos, porque os pescadores estavam ocupados debatendo se valia a pena matá-los para levar para casa, já que eram peixinhos tão pequenos.

Uma ou duas coisas estavam certas para Aku-nna. Ela tinha não apenas perdido um pai, ela tinha perdido também uma mãe. Ma Blackie se via tão imersa nas políticas da família Okonkwo e ocupada com a economia doméstica que raramente tinha tempo de perguntar como estava o mundo da filha. Aku-nna percebia isso e não se permitia ser um estorvo. Muitas vezes, raivosa, Ma Blackie tinha pedido a ela que apontasse alguma outra garota em toda Ibuza que não tivesse pai e ainda pudesse continuar os estudos. Havia poucas garotas tão afortunadas. A consciência disso levou Aku-nna cada vez mais para dentro de si mesma até que, em atos mais do que em palavras, Chike Ofulue lhe disse que ela era valorizada, estimada e amada.

OS ESCRAVOS

"Somos todos iguais aos olhos de Deus". Essa declaração foi martelada nos ouvidos de Chike pelo Reverendo Osborne desde o momento em que o menino se tornou capaz de entender o idioma inglês.

Chike tinha ouvido sua mãe mencionar de vez em quando que a avó dele tinha sido uma princesa, mas que fora capturada de Ubulu-ukwu, uma cidade a apenas quinze milhas de Ibuza, nos tempos em que não havia estradas, apenas trilhas utilizadas por guerreiros. Ela era muito bonita, e seu mestre, Obi Ofulue, decidiu não vendê-la e comprou um escravo homem para fazer companhia a ela. No momento em que o mestre dela morreu e ela teve que ser enterrada viva com ele, ela já tinha dado à luz quatro filhos e duas filhas. As meninas foram vendidas, mas o filho legítimo de Ofulue ficou com todos os meninos. Logo depois, se tornou ilegal vender escravos. Ofulue, que não queria ser humilhado por aqueles europeus que de repente pararam de comprar escravos e se tornaram missionários, pregando sobre um tipo de Deus de quem ele nunca tinha ouvido falar, decidiu enviar os escravos homens de Ofulue para eles. A maioria dos escravos que os missionários receberam vieram a se tornar os primeiros professores e diretores, e depois os filhos deles se tornaram os primeiros médicos e advogados em cidades igbo.

Os efeitos duradouros de tais ideias antiquadas de escravidão não eram novidade para Chike; ele já tinha ouvido tudo isso antes e não se preocupava muito com o assunto. Ele era bonito e, embora as mulheres soubessem que ele vinha de uma família "oshu", uma família de escravos, elas fingiam não enxergar. Acaso a família dele não tinha gerado muitos homens profissionais? Seus meios-irmãos e irmãs não possuíam os maiores e mais compridos carros que a cidade de Ibuza já tinha visto? De fato, ele desdenhava da maioria das garotas locais. Sim, ele tinha dormido com muitas delas no fim da adolescência e até agora tinha algumas amantes entre as esposas mais jovens de muitos chefes anciãos. A consciência dele não pesava por causa disso, pois essas esposas ainda estavam na flor da idade, mas amarradas a maridos idosos que, acima de tudo, se orgulhavam de prover suficientes inhames para encher as barrigas das esposas. Se eles suspeitavam que as esposas precisavam de mais do que inhames para ficarem satisfeitas, não falavam nisso. Se eles estavam cientes de que metade das crianças nascidas e marcadas com seus nomes não eram deles, sabiam que era melhor não criar escândalo. Em Ibuza, todo jovem rapaz tinha direito a se divertir.

A culpa geralmente era colocada sobre as garotas. Uma garota que tivesse vivido aventuras antes do casamento nunca era respeitada no seu novo lar; todos na aldeia saberiam do seu passado, principalmente se ela tivesse a má sorte de casar com um homem egocêntrico. Havia homens que saíam por aí estuprando jovens virgens de treze e catorze anos, mas ainda esperavam que as mulheres com quem eles iam casar fossem castas como um botão de flor. E até mesmo essas esposas logo conheciam a maldade; elas poderiam aguentar os insultos e a humilhação por um tempo, talvez até os primeiros filhos nascerem, mas então elas também davam suas escapadas. Por ser considerado vergonhoso que um homem não conseguisse mais satisfazer sua esposa sexualmente, em vez de admitir uma coisa dessas, ele faria de tudo para pagar o preço de noiva de muitas mais, a fim de acentuar sua imagem masculina. Um homem impotente era uma raridade em Ibuza, e os poucos que existiam não eram mais que mortos-vivos.

Os pais de Chike sabiam dos gostos dele, mas não tentavam contê-lo; ele tinha o dinheiro e a liberdade para escolher seus prazeres. Então ele ficou surpreso quando, certa noite, seu pai o chamou solenemente para a sala de estar, que era mobiliada como uma espécie de salão tropical vitoriano, com cadeiras duras de couro, persianas coloridas de vime e um poderoso ventilador. O senhor Ofulue era ele próprio um professor, ainda que agora aposentado; ele tinha quatro esposas, todas de cidades próximas, e, no geral, tinha levado uma vida muito invejável. As pessoas de Ibuza nunca o perdoariam por ser tão próspero. Eles nunca o perdoariam por ter filhos ilustres, por meio de quem a existência de uma pequena cidade como a deles estava ficando conhecida para o resto da Nigéria. Embora ele fosse membro da Administração Nativa, as pessoas nunca permitiram que ele se tornasse chefe pois, ponderavam, o dia em que um escravo se tornar chefe nessa cidade, então saberemos que o fim está próximo. Ofulue se divertia com tudo isso; ele não pretendia pedir às pessoas de Ibuza que virassem de ponta-cabeça por causa dele. Seus filhos ensinavam nas escolas deles, seus filhos tratavam os idosos deles de graça nos hospitais. Mesmo assim, ainda eram escravos, oshu.

Agora ele advertiu Chike: "Eu fui à escola com Ezekiel Odia. Eu estava quase me formando quando ele ainda aprendia o alfabeto. Não gostaria que um filho levasse vergonha à sua única filha. Eu vi o jeito que você olhava para ela na igreja, todos notaram. Mas eu peço que você não arruíne a menina".

Chike ficou pasmo; ele achava que tinha se saído bem em esconder seus sentimentos a sete chaves. Ele tinha esperança de que as pessoas achassem que ele considerava Aku-nna apenas mais uma aluna. Ele nem falava com a menina fora das aulas. Mas ele tinha que dizer algo ao seu pai, pelo menos para tranquilizá-lo. Pensou seriamente e então disse:

"Eu me importo com ela. Ela é tão sozinha. Mas eu não a arruinaria: como um homem poderia arruinar um anjo?", sua voz estava engasgada de emoção.

Ofulue olhou para o filho por um longo momento, então relembrou enfaticamente que ele precisava se dedicar muito aos estudos para entrar na universidade no ano seguinte.

A raiva se moveu dentro de Chike e ele encarou o pai com olhos que quase começavam a ter ódio. Como o seu próprio pai podia dizer uma coisa ofensiva assim quando ele sabia muito bem o que tinha acontecido? Que Chike tinha todos os requisitos para entrar na universidade, mas que sempre encontravam uma razão ou outra para lhe negar uma bolsa de estudos federal. Fora doloroso o bastante na época, a ponto de que se não fosse pelo amor da mãe, irmãs e irmãozinhos, Chike teria prontamente deixado Ibuza em troca de alguma outra cidade onde ninguém jamais saberia dele. Ele ainda ficava magoado pensando nisso, e agora o pai estava esfregando na sua cara? Por quê? Para enfatizar o fato de que os filhos que ele teve com outras mulheres tinham feito carreira acadêmica sem dar custos ao pai?

"Não fui considerado bom o bastante para uma bolsa", ele disse ríspido e ressentido.

"Sei disso", o pai dele respondeu lentamente, como se tentasse ajudar Chike a continuar sentindo pena de si mesmo. "Mas você escolheu um curso peculiar. Sociologia". Ele pronunciou a palavra como um alemão: sokioloquia. "Talvez os avaliadores nunca tenham ouvido falar disso. Eu mesmo não sei muito bem o que você espera se tornar depois desse curso de sociologia. Um funcionário público? Um político? Já temos políticos demais e, de qualquer forma, você não precisa de um diploma universitário para ser um bom político. Qualquer bobo pode ser um político; basta aprender a contar mentiras convincentes como um cavalheiro, só isso. Você não pode mudar de área?", ele perguntou depois de uma pausa.

Chike olhou para o vazio, para as paredes caiadas de branco nas quais estavam penduradas muitas fotografias de família. Ele já tinha visto essas fotos muitas vezes antes, mas só nesta noite elas pareciam pairar de modo ameaçador sobre a vida dele. Então o pai queria que ele fosse um médico ou um advogado ou um engenheiro — a famosa trindade de carreiras da elite nigeriana. Era perfeitamente aceitável se referir a "meu filho, o advogado", "meu filho, o médico" ou "meu filho, o engenheiro", mas quem já ouviu alguém em sua plena capacidade mental dizer com orgulho "meu filho, o sociólogo"?

"Não quero mudar, Pai. Não podemos todos ser médicos. Se aprende muitas coisas quando se é sociólogo", foi a defesa de Chike para a escolha de profissão.

"Você deve tentar de novo neste ano. Mesmo que você não ganhe a bolsa que deseja. Eu pago pelas mensalidades da universidade", seu pai disse, desviando os olhos do seu filho como faria uma mulher tímida.

Chike estava começando a ver a luz. Então ele receberia um suborno para sair de Ibuza. Que outra razão haveria para a oferta do pai? Era contra sua política pagar por educação superior para qualquer um dos seus filhos, simplesmente porque havia muitos deles. Para ser justo com todas as suas esposas, ele dava a todas as crianças a oportunidade de uma boa educação até o nível primário; as meninas não eram particularmente encorajadas, mas ele nunca disse não para nenhuma das suas filhas que conseguiram entrar em escolas secundárias ou na escola de magistério. Era óbvio que o pai o queria fora da cidade por achar que ele estava se envolvendo com Aku-nna. Sentiu raiva de novo.

"Ela não é uma garota que vai se casar algum dia?", ele questionou num tom áspero.

Ele tinha ido longe demais e sabia. Seu pai tinha ficado gordo depois da aposentadoria; seus movimentos tinham ficado não apenas lentos, mas majestosos, exigindo respeito. Chike observou as dobras de gordura na parte de trás do pescoço dele e elas pareciam estar crescendo, como uma lesma africana saindo da concha. E, também como uma lesma, a parte traseira do pescoço do pai era muito preta; o cabelo dele tinha ficado grisalho, então ele pintava a cabeça raspada com Morgan's Pomade, que ele aplicava de modo tão generoso que ultrapassava em muito os limites do cabelo. Os olhos que ele virou para o filho eram como a semente do fruto maduro de palma. Ele tinha uma voz fraca, falava muito pouco e, no momento em que falou, foi como o som de uma cabra balindo de dor, prestes a ser sacrificada em um festival.

"Você vai deixar essa garota em paz ou... ou...", ele não completou a frase. Acenou a mão como se uma mosca tivesse acabado de aparecer depois de ter pairado sobre excrementos. "Saia já daqui!".

Chike deixou o pai, mais confuso que nunca. Era domingo, e ele não sabia como sobreviver à noite.

Diz-se que as águas roubadas são doces. Sem a interferência dos adultos, talvez Chike tivesse esquecido Aku-nna e talvez ela chegasse a pensar que qualquer coisa entre eles havia sido apenas uma paixão infantil. Para ela, era sempre "não se misture com aquele professor. Você viu como todas as garotas na escola dele sempre passam nas provas? Ele nunca usa a palmatória com elas, como os padres católicos usavam". Não faça isso, não faça aquilo. Eram só proibições e, para Aku-nna, as advertências se tornaram trivialidades cotidianas, nem valia a pena lembrar delas, e só serviam para serem ignoradas. Qualquer voz de alerta que pudesse escutar em si mesma era indistinta demais para ser efetiva. Para começar, Aku-nna não sabia, e ninguém lhe contou, contra o que eles tanto a precaviam. Até os primos dela pareciam apreensivos demais para especificarem. Tudo que eles faziam era ser vigilantes e soltar comentários vagos; só um louco chamaria outro homem de "oshu" na frente dele. Essa era a época das leis dos homens brancos. O homem branco tinha vindo para ficar, e essa cultura parecia ganhar terreno; então, se você não queria criar problemas para si e para a família, você obedecia as leis dos homens brancos.

Chike tentou o máximo possível tirar os problemas pessoais da cabeça e se concentrar em treinar os alunos para a prova que se aproximava. Ele tentou evitar falar diretamente com Aku-nna naquela segunda-feira. Chegando o fim da tarde, entretanto, ele pediu aos alunos que recitassem as motivações da corrida europeia para a África no século 18. Quando chegou a vez de Aku-nna, parecia que ela tinha se esquecido de todas. Chike deu todas as dicas e pistas possíveis: que, naquela época, a quinina tinha sido descoberta; que o comércio de escravos era um negócio lucrativo; que a África, que antes fora o lixão dos brancos, estava, então, se tornando seu paraíso...

Ainda assim, Aku-nna não reagia.

"Escuta, você está dormindo?", Chike gritou. "Você não revisou nada das suas anotações no fim de semana? Como vou te ajudar se você só ficar parada aí me encarando?".

Os outros na sala viram isso como uma bem-vinda distração e começaram a provocar e zombar. De súbito, Chike os ignorou e só podia enxergar seu pai, com os olhos da mente, dizendo-lhe que deixasse a garota em paz. Mas como alguém poderia deixar sozinho um outro ser humano que estava, metaforicamente, se afogando? Se ele não interferisse na vida dela, só os deuses do inferno sabiam para onde ela seria enviada em um ou dois anos, só para satisfazer a ambição do seu tio. Chike disse a si mesmo que o que ele sentia pela garota era pena; ele não questionou se as pessoas geralmente se incomodavam e gritavam com alguém de quem sentiam pena. Se chegou a lhe ocorrer que alguém às vezes perde a paciência com uma pessoa que ama, ele não pareceu dar muita bola para essa ideia.

"Quer dizer que você não consegue lembrar nem sequer uma razão da corrida pela África?", a voz dele estava grave e carregada de exasperação contida. Ele chegou mais perto, secando o suor da testa, pois era um dia muito quente.

"Eu não tive tempo de reler minhas anotações ontem à noite porque, porque..."

"Porque ela estava ocupada com seus namorados", uma voz de sapo subiu de trás deles. Todos os meninos riram. Aku-nna irrompeu em lágrimas. O riso ficou mais alto que nunca.

Chike bateu na mesa à frente de Aku-nna com tanta força que toda a turma ficou imediatamente em silêncio. Ele disse que não ia tolerar esse comportamento bagunceiro deles. Ele ordenou que o menino que tinha feito o comentário idiota sobre Aku-nna se levantasse e disse que ele deveria se envergonhar de fazer uma afirmação tão irresponsável. O menino sorria de orelha a orelha, embora seus lábios tremessem, pois ele pressentiu perigo na voz do homem que conhecia tão bem. O sorriso desafiador servia apenas para inflar seu ego. O resto dos meninos olhou para o outro lado, eles sabiam que era melhor não se envolver.

Aku-nna não tinha parado de chorar.

"Qual o problema então?", Chike perguntou, com uma voz tão suave que ficou evidente que deveria ser ouvida apenas por ela. Ela fungou no seu lenço e não respondeu. "Você pode sair", ele disse baixinho para ela, indo para a frente da turma para continuar a lição como se nada tivesse acontecido.

Aku-nna murmurou um agradecimento e saiu cambaleando, tropeçando em quase tudo e todos no caminho. Qual era o problema dela? Ela se fazia essa pergunta tanto quanto os outros. Ela estava chateada com alguma coisa, isso era claro, mas ela mesma não conseguia identificar o que a perturbava.

Deixou de tentar entender e simplesmente se arrastou até o pé de uma laranjeira no fim do terreno da escola, onde ela não seria facilmente vista, e se permitiu chorar à vontade. As lágrimas corriam pelo seu rosto aos borbotões, como água da chuva, e ela não tentou segurá-las. Acaso não estava sozinha, aproveitando esse momento precioso de doce autocomiseração? Em algum lugar na distante escola, o sino tocou, como se viesse de outro mundo, mas ela ignorou, totalmente encapsulada como estava por todas as laranjeiras ao seu redor. Ela observou e escutou um grupo de pássaros tagarelas que pareciam se sentir seguros e imperturbados pela sua presença. Ela notou que eles construíam um ninho. Cada pássaro trouxe um fiapo de folha de palma, segurando-o com cuidado no bico e então pousando artisticamente no lugar certo. Para a surpresa de Aku-nna, uma pequena estrutura de cesto em formato de cumbuca logo se formou. Ela estava deslumbrada com o prazer evidente com que eles trabalhavam. O ninho na árvore perto de onde ela se sentara estava sendo construído por dois pássaros; namorados, talvez. A felicidade deles, a habilidade de se comunicarem tão intimamente um com o outro evidenciou ainda mais para ela o impasse em que se encontrava.

Ela tinha perdido o pai. A mãe estava, literalmente, perdida para ela, de tão profundamente que estava envolvida com os acontecimentos da casa de Okonkwo; às vezes era difícil lembrar que ela tinha sido casada com o pai de Aku-nna. O seu irmão era novo demais, mimado demais para servir de consolo. Como menino, e como herdeiro do ramo Ezekiel Odia da família, ele tinha permissão para fazer o que quisesse e, de qualquer forma, ele era infantil demais para ser de confiança. A sua prima Ogugua era amigável, mas ingênua, e se ela fosse a confidente de qualquer segredo, certamente o espalharia, não palavra por palavra, mas devidamente apimentado por sua imaginação. Aku-nna se deu conta com clareza, então, de que estava completamente sozinha. Ela ficou sentada ali, os olhos secos agora, seguindo o movimento dos pássaros sem de fato enxergá-los, absorta em seus próprios pensamentos conturbados.

"Aku-nna, acho que você precisa do diploma mais do que qualquer um na turma, não acha?". Ela olhou para cima na direção da voz e viu Chike parado ali, com uma expressão incômoda no rosto. "Se você vai ficar sentada aí devaneando pelo resto da vida, vai reprovar na avaliação, e você sabe tanto quanto eu que a sua família nunca deixaria você repetir".

Aku-nna não disse nada para se defender. Ela só olhou para ele ali de pé, alto e magro, seus cachos bem cuidados quase tocando nos galhos das laranjeiras. Ele devia estar jogando futebol com os meninos, porque a camisa aberta no pescoço revelava pelos molhados grudados no peito úmido; as mangas brancas estavam enroladas até os cotovelos, e a bermuda estava amarrotada. Ela não se preocupou em levantar da raiz da árvore onde estava sentada. Ela desviou o olhar para os sapatos esportivos brancos que ele usava, com os cadarços atados em laços.

"Qual foi o problema na aula?", ele perguntou, dessa vez não no tom de um professor, mas de alguém que realmente se importa.

Alguma coisa na voz dele fez com que ela olhasse para cima. Como ela poderia explicar que se sentia sozinha entre os parentes? Como ela podia dizer para ele que ela mesma não era capaz de colocar em palavras o que a afligia tanto? Ela buscou refúgio nas lágrimas mais uma vez. Chike pareceu ficar maior e maior, e sua cabeça ganhou foco na visão dela. Ela olhou reto para a lonjura a céu aberto e deixou as lágrimas caírem nas bochechas, sem nem tentar limpá-las. Sem dizer mais nada, ele se sentou ao lado dela sobre a raiz da laranjeira.

Perto dos pés deles, um grupo de formigas marrons estava traçando seu caminho até um buraco minúsculo. Os dois observaram em silêncio a linha perfeita que as formigas faziam. Nem uma única formiga desviava da coluna principal, todas seguiam a mesma rota, uma depois da outra, como se sob o comando de um poder invisível.

Cada uma estava carregando uma pequena substância branca na boca, que parecia ser algum tipo de comida, levando as partículas para o buraco. Sem pensar muito, Chike colocou uma folha seca da laranjeira no caminho delas, bloqueando a passagem.

Aku-nna olhou para ele e perguntou com a voz chorosa: "Por que você fez isso? Elas vão se perder".

"Não vão, não", ele respondeu removendo a folha da trilha das formigas. As formigas rapidamente se reorganizaram e continuaram com suas tarefas como se nada tivesse acontecido.

"Por que elas seguem umas às outras desse jeito?".

"Porque cada formiga ficaria perdida se não seguisse as pegadas daquelas na frente, aquelas que já passaram por esse mesmo caminho antes". Ele interrompeu o que dizia. Era isso que o seu pai tentara lhe dizer na noite anterior? Que ele deveria esquecer a garota e deixar os costumes e a tradição seguirem seu curso? Estava parecendo impossível fazer isso. Ele percebeu que as lágrimas dela tinham cessado; ele sentiu que ela precisava de conforto, então disse em voz alta: "Vou ajudar você a passar na prova, nem que seja a última coisa que eu faça antes de ir embora dessa cidade horrível".

"Ir embora? Para onde você vai?". A decepção e a expectativa na voz dela foram tamanhas que ficou transparente para ele que ela se importava.

"Universidade", ele disse bruscamente, tomando a mão esquerda dela, que repousava ao seu lado, e a puxando para cima com um solavanco violento.

Quando ela se levantou, sentiu uma leve dor nas costas e notou que sua pele estava ficando úmida. Ela sentiu algo peculiar e teve certeza de que estava tremendo apesar do dia estar tão quente.

"Você quer que eu vá embora?", ele perguntou.

Ela balançou a cabeça: não, não queria que ele fosse. Mas será que ela deveria dizer que, desde o primeiro dia que o encontrara na bicicleta nova, ela não tinha parado de pensar nele, vendo-o na imaginação, sentindo uma imensa felicidade com o mero som da voz dele, desejando tocá-lo, querendo tranquilizá-lo de que tudo ficaria bem quando os meninos na sala se mostravam particularmente difíceis? Como ela poderia dizer que precisava dele, que ela estava completamente sozinha no mundo, sem parecer vulgar e mal-educada? Ela tinha certeza de que as pessoas diriam que ela só estava interessada nas grandes casas e carros que a família dele tinha; mas essas mesmas pessoas insistiriam que ele era um osu, o filho de um escravo comum. Mas se ele fosse embora, deixasse ela sozinha naquela cidade, ela ficaria com o coração partido. Ela estaria perdida, como uma formiga sem trilha. Se ela desobedecesse a mãe e o tio e, no futuro, Chike se tornasse maldoso e começasse a bater nela — do jeito que a maioria dos homens de Ibuza pareciam bater nas suas mulheres —, ninguém teria nada de bom para dizer a ela. Eles diriam: "Por que você se envolveu com um osu, pra começo de conversa? Esses escravos não sabem como tratar os filhos e as filhas de homens livres. É como dar ouro para um porco: ele não saberia o que fazer com isso". Os olhos dela refletiram seus pensamentos e ela teve vontade de chorar de novo. Ele buscou seus olhos salientes, reparando na grandeza deles, na solidão dentro deles, e nas lágrimas não muito distantes.

"Por que você é tão infeliz? Por que você chora tanto por causa de tudo? Eu gostaria de fazer com que você só chorasse de felicidade, não de tristeza. Agora precisamos voltar para a sala. É hora de cantar. Você pode chorar enquanto os outros cantam, e o som vai ficar ainda mais melodioso".

Ele indicou que ela fosse antes dele, para que o resto da escola não os visse emergindo daquele canto juntos. Ao mesmo tempo, ele disse: "Eu vou visitar sua mãe essa noite pra falar das tarefas de casa". Então ele de repente parou e gritou bruscamente: "Aku-nna! Você está sangrando, tem sangue no seu vestido... Aku-nna".

Ela se virou rapidamente, olhou para si mesma e viu que havia sangue manchando uma parte da barra do vestido. A princípio ela sentiu medo, achando que tinha se machucado. Depois o bom senso chegou e ela soube o que estava acontecendo com ela. Ela tinha ouvido suas amigas falarem disso tantas vezes, ela tinha visto acontecer com muitas mulheres, ela tinha sido informada pela sua mãe e ela sabia da responsabilidade que vinha junto. Ela agora estava totalmente crescida. Ela poderia ser casada, poderia ser sequestrada, um cacho do seu cabelo poderia ser cortado por qualquer homem para fazer dela sua esposa para sempre. De repente, ela foi tomada por uma cólica aguda; seus pés começaram a ceder, pequenas dores como agulhadas a perfuravam nas costas e ela pôde sentir algo morno escorrendo pelas pernas. O que ela deveria fazer agora — correr, correr para o mais longe possível desse homem e nunca mais deixar que ele a visse? Ela estava intensamente incomodada com a presença dele. Como ele ousava vê-la nesse estado vergonhoso? Mas teria sido melhor se a mãe dela ou se algum dos meninos fossem os primeiros a saber?

Ele se aproximou dela, sem ligar se alguém os via ou não. Ele queria casar com essa garota, mesmo que isso significasse quebrar todas as leis de Ibuza. Quando ele a apertou contra seu peito pegajoso, o corpo dela tremeu, de medo e de mais alguma coisa dentro dela que ela não sabia nomear. Ele passou a mão sobre a perspiração na testa dela, mergulhou o nariz dentro dos seus cachos curtos.

"Primeira vez?".

"Sim", a resposta dela foi um suspiro.

Eles pareceram ficar ali por um longo tempo. Ele não queria que ela se fosse e ela tampouco queria ir. Com quem mais ela poderia conversar? Então a cólica começou de novo e ela se sentiu fraca, precisando de um lugar para se deitar. Ela disse que se sentia estranha e podia sentir o coração dele batendo rápido. Era uma perturbação mútua.

"Espere aqui", ele disse, soltando-a suavemente. "Vou pegar alguma coisa no kit de primeiros socorros. Sente onde você estava antes. Não vou demorar".

Ela obedeceu, ainda que a raiz da árvore fosse dura como ferro, e ela se sentiu tão dolorida que poderia ter gritado de dor. Mas deixou que ele tomasse o controle; ele parecia ser mais experiente que ela. Como ele poderia não saber tudo sobre aquilo depois de ler tantos livros, de ver todas as suas irmãs passarem pela mesma experiência tantas vezes até ele se cansar de toda aquela atmosfera e construir um pequeno chalé de solteiro perto da grande casa do pai?

Ele logo voltou. Ela não o viu se aproximar, pois estava concentrada com os olhos fechados. O que aconteceria agora? A sua gente a impediria de ir à escola? A única coisa que ela podia fazer era esconder, mas como o faria? As mulheres de Ibuza geralmente usavam paninhos que elas trocavam com frequência para manterem-se frescas e os lavavam várias vezes por dia — onde ela secaria os dela sem que fossem vistos? E quando uma mulher estava suja, ela não podia entrar no rio, ela não deveria entrar numa casa onde o homem da família tivesse o título de "Eze" ou "Alo": o tio Okonkwo tinha o último; se ela entrasse na casa, o chefe da família morreria e o oráculo descobriria de quem era a culpa. Ela poderia não ser morta em plena luz do dia, mas as pessoas de Ibuza tinham maneiras, medidas psicológicas, de eliminar aqueles que cometiam o abominável alu.

Chike entregou a ela dois comprimidos brancos e um copo d'água. Ele lhe deu seu grande blusão de lã, o qual ele usava nas manhãs frias quando o vento harmatã soprava, que tinha deixado na casa dos Osbornes. Então, vendo-a engolir a água, ele perguntou: "Akum... você pode manter isso em segredo? Não conte pra ninguém ainda, não até passar a prova".

A confusão dela estava cedendo espaço para um tipo de sutil alegria, especialmente ao notar que Chike a tinha chamado de Akum, que significava "minha riqueza". Ela não se incomodaria de pertencer a ele e ser a sua riqueza; ela gostaria de ser posse de um homem como Chike. Se pelo menos as pessoas parassem de chamá-lo de escravo pelas costas. Se pelo menos as pessoas não se opusessem tanto...

"Como vou esconder?", ela perguntou. "Eu durmo na mesma cabana que minha mãe e ela vai acabar sabendo".

Ele afastou o olhar. Haveria sentido fingir para essa inocente menina que ele não sabia muito sobre mulheres?

"Você está esquecida que meu irmão é um médico, e eu já vi o que as mulheres europeias usam nesses casos. Depois da escola, eu vou até Onitcha e compro um pacote para você. Você deve escondê-lo e guardá-lo limpo. Eu vou embrulhar como se fosse um livro, então sua mãe não vai saber. Vá para casa agora. Eu vou dizer ao seu irmão que você está com dor de cabeça. E cuide para que o vestido fique coberto pelo blusão". Ele não conseguia ver os olhos dela, pois estavam voltados para baixo; ele disse com suavidade para que ela não se preocupasse com nada. E ele disse mais uma coisa para ela, ele disse "eu te amo", e então se afastou.

Ela não podia fazer nada além de ir para casa. A dor nas costas tinha diminuído, graças aos comprimidos. Ela se perguntou se ia se sentir assim todos os meses pelo resto da vida. Ela se odiava agora. Desalinhada e malcheirosa. Ela poderia aguentar o desalinho, não fosse pela horrível dor nas costas e as pernas começando a se contrair. Ela sentiu que não ousaria rir alto ou o sangue ia jorrar para fora. Deu uma leve tossida para testar, e o efeito foi o mesmo. Ela tinha que correr para casa, antes que as pessoas começassem a voltar dos mercados e do campo.

Depois de caminhar uma milha, mais ou menos, o alívio dos comprimidos tinha passado. A cabeça dela latejava em solidariedade à depressão. Ela não podia ir direto se deitar, pois se sentia suja. Ela encontrou um pouco d'água no jarro e usou para se limpar; o irmão dela ia começar uma briga quando voltasse e visse que não tinha sobrado nada, mas ela estava doente demais para se importar. Ah, se houvesse uma mão mágica para massagear sua cintura, ou alguma coisa muito quente para amarrar em volta dela. Como doía. Ela se deitou no sofá de barro e caiu num sono espasmódico.

Ela acordou com o som de seu nome. Nna-nndo estava chamando na porta de entrada, perguntando qual era o problema dessa vez. Ela estava sempre doente, ele reclamou. Ele esperou meio segundo e perguntou: "Você avisou ao professor que estava doente?".

"Sim, eu fiquei doente na aula". Aku-nna desejou fortemente que o irmão saísse dali para ir onde quer que fosse que os meninos da idade dele iam a essa hora do dia.

Ele resmungou e foi direto para o pote d'água. Tinha sido uma tarde muito quente e ele estava com sede. Ele mergulhou lá dentro uma caneca de lata por um bom tempo, mas voltou sem nem uma gota d'água. A cada tentativa, sua raiva aumentava.

"O que aconteceu com a água? Esse jarro estava quase cheio hoje de manhã antes de sairmos pra escola. O que aconteceu com toda a água?", Nna-nndo jogou a caneca de lata sobre o chão de barro.

Talvez se Aku-nna tivesse ficado quieta e fingido não saber nada sobre aquilo, o irmão dela teria esquecido do assunto. Mas a consciência humana sempre deixa as pessoas na mão quando elas menos esperam, e ela sentiu que era seu dever oferecer uma explicação.

"Talvez a Mãe tenha usado antes de sair para o mercado Abuano". Era uma mentira nada convincente. O que a mãe deles faria com meio jarro cheio d'água quando sabia que iria passar pelo Rio Oboshi? As mulheres não lavavam roupa em casa; e a menos que estivessem muito doentes, não se banhavam na casa, exceto pelas poucas iluminadas que sentiam vontade de se lavar naquele período em que eram consideradas sujas e era tabu ir ao riacho.

Nna-nndo chegou mais perto dela e sussurrou: "Mentirosa! A Mãe saiu de casa antes de nós, caso você tenha esquecido, sua mentirosa ogbanje. Está na hora de você decidir se vai ficar viva conosco ou morrer. Hoje o pé, amanhã a cabeça — acontece de tudo com você! E mais uma coisa, se você acha que eu vou até o riacho só pra agradar uma irmã adoentada, pode pensar de novo, porque eu não vou, e isso é um fato. O que você fez com a água afinal?".

Ela não respondeu a última pergunta, e ele, graças a Deus, não pressionou. Ele começou uma fogueira e requentou um pedaço de inhame que restara da refeição da noite anterior. A fumaça da madeira se enroscou dando voltas e voltas pela cabana e o cheiro da comida encheu o ar. Era o tipo de inhame fresco que normalmente fazia a boca dela salivar como a de um cão faminto, mas hoje lhe causou repulsa. O inhame logo ficou pronto e ela pôde ouvir o irmão raspando as partes queimadas e mastigando a parte boa, rangendo os dentes como um esquilo quebrando nozes. O inhame quente acentuou a sede dele. Ele declarou de novo que não iria até o riacho, mesmo que asfixiasse de sede. Mas ele sabia o que fazer: pediria uma garrafa d'água emprestada na casa do seu amigo Dumebi. Ele saiu, inhame numa mão e uma garrafa verde de cerveja vazia na outra. Infelizmente para ele, a mãe de Dumebi estava em casa e queria saber por que ele não podia pegar água no riacho para que sua irmã e sua mãe cozinhassem. Não, ela não daria água para ele; o riacho Atakpo estava disponível para qualquer um que fizesse o esforço. Ela lamentou o destino da geração do futuro. Perguntou-se no que o mundo ia se transformar. Um menino de doze anos mendigando água como uma idosa!

Nna-nndo observou por um segundo a boca da mulher, manchada de tabaco. Era escura como o poço sem água na aldeia de Ogboli, um poço tão escuro que diziam que fantasmas e espíritos malignos se banqueteavam lá. Ele tinha certeza de que a boca da mãe de Dumebi também poderia abrigar o mais vil espírito do inferno. Ele se afastou rapidamente, jogando longe o resto do inhame. A garganta dele estava seca demais para aproveitar a comida. Quando ele voltou para a cabana, não falou com a irmã, mas foi direto para onde a mãe deles deixava as calabaças secando perto do fogo e, depois de muito ruído e raiva, escolheu a menor delas. Ele pegou sua vara de pesca e ficou claro que ele ia até o riacho. Aku-nna agradeceu aos céus em silêncio.

A lua naquela noite estava redonda e imaculada. Seu brilho abria caminho pelas frestas das cabanas e resplandecia dentro delas, formando lindas estampas amareladas nos pisos de barro das salas escuras. Com a pouca água que Nna-nndo trouxe do riacho, Aku-nna pôde cozinhar para ele e para a mãe. Então ela voltou a se deitar, ouvindo todos os vizinhos amassando inhames para a refeição da noite. Ela deve ter adormecido de exaustão, pois quase pulou quando ouviu baterem na pesada porta de madeira. Seu medo diminuiu quando ela viu que era apenas sua prima, Ogugua.

"Não me diga que você está lendo no escuro, sem luz?", ela perguntou, entrando com cuidado para não tropeçar em nada, pois, apesar do luar iluminado lá fora, tinha ficado muito escuro na cabana. "Qual o problema? Você está doente? Esqueceu que devemos encontrar nossas mães na volta de Abuano e ajudá-las a carregar as compras do mercado?".

Eram tantas perguntas que Aku-nna não sabia qual responder primeiro. "Não me sinto bem. Por favor, carregue algumas coisas da minha mãe pra ela. Não estou tão mal, mas não consigo ir". Ela se levantou, encheu o lampião de cerâmica com óleo de palma e o acendeu.

Na pálida luz que agora irradiava no quarto, Ogugua a examinou e diagnosticou: "É uma dor de cabeça. Posso ver nos seus olhos. Estão muito vermelhos". Ela não ficou por muito tempo, pois disse que já estava atrasada, e, se a mãe dela já tivesse passado de Ogbewele quando a encontrasse, ia dar briga. Ela prometeu ajudar a mãe de Aku-nna também e convenceria a amiga Obiageli, do grupo etário delas, a fazer o mesmo.

Ogugua se apressou para sair, gritando aos outros a todo volume que deixassem suas comidas; a lua estava no céu e suas pobres mães estavam voltando de Abuano para casa. Ogugua era uma garota nativa de Ibuza que algum dia saberia se defender na casa do seu marido, Aku-nna pensou enquanto ouvia a voz dela na distância.

Ela não se arriscou a deitar de novo. A mãe dela logo chegaria e então os meninos que vinham à cabana para os jogos noturnos começariam a se reunir. O costume permitia isso. Os meninos iam à cabana da mãe de algum deles e brincavam de apertar os seios de uma menina até doerem; a menina deveria tentar afastá-los o máximo possível e não reclamar. Desde que fosse feito dentro da cabana e um adulto estivesse por perto, e desde que a menina não deixasse o menino ir longe demais, não era mal visto. Algumas garotas chegavam a se casar com seus primeiros namoradinhos, mas, na maioria dos casos, os meninos eram jovens demais para poder pagar pelo preço de noiva ou não estavam prontos para o casamento. Eles geralmente eram escanteados e assistiam seus primeiros amores serem casadas com homens velhos o bastante para serem os pais delas.

Aku-nna estava abrindo sobre o sofá de barro um tapete macio feito em Serra Leoa que Ma tinha trazido com eles de Lagos, quando uma batida suave na porta a interrompeu. Ela convidou a pessoa a abrir a porta.

Chike entrou.

Ele tinha trazido tudo o que ela precisaria e até um pequeno livro que explicava a coisa toda. Ele sentou ao lado dela no sofá e pousou o braço ao redor dela. Ele notou que ela ainda estava quente e ela explicou que era por ter cozinhado na fogueira. Ele tocou nos seios dela, do jeito que um pretendente faria, não do jeito que os garotos rudes os apertavam só por diversão. Aku-nna sentiu um estranhamento no corpo, que apresentava truques que ela não conhecia. Ela ficou com medo do professor então, pois ele fez com que ela tocasse na parte da frente dele, que estava endurecendo tanto quanto a raiz na qual ela se sentara durante a tarde. Ele viu os olhos dela nublarem e soube que ela estava, de fato, tornando-se uma jovem mulher. Ele a abraçou daquele jeito e perguntou o que ela achava que eles deveriam fazer.

"Diga à minha gente que você quer se casar comigo", ela disse, com a voz fraca e sussurrante.

Ele subitamente abandonou os modos gentis e suas mãos macias a apalparam com mais sofreguidão. Ela deu um grito contido e ele pediu desculpas, mas ela não enxergava que eles nunca permitiriam? Ela não sabia que os ancestrais dele eram escravos e não tinham nascido nesta terra? Ela acaso achava uma piada...

Ela cobriu a mão dele com sua mão, sem saber de onde vinha a ousadia que crescia dentro dela. "Não existe nenhuma outra pessoa no mundo pra mim, Chike. Eu nem conheço mais ninguém: eu sempre digo a coisa errada, faço a coisa errada. Você é a única pessoa que eu conheço de quem não tenho medo. Então não diga isso".

Ele não sabia o que mais fazer a não ser começar a beijá-la do jeito que os europeus faziam nos filmes. Aku-nna sabia que deveria gostar de ser beijada, mas não sabia como desfrutar aquilo. Ela tinha lido em exemplares velhos da True Romance que o beijo deveria provocar alguma coisa na garota. Bom, não provocou nada nela, mas ela deixou que ele se divertisse. Tudo que ela queria era fazê-lo feliz, fazê-lo entender que ele ser um pária não tinha importância para ela. A única coisa que a incomodava é que ela também tinha ouvido falar que beijos causavam tuberculose, mas ela não quis perguntar para ele naquele momento, pois qual seria o propósito? Ela já tinha sido tão beijada que, quando ele a soltou, ela estava sem fôlego; então, se ela podia pegar tuberculose, já era tarde para voltar atrás. "Você será sempre minha", ele disse ao pé do ouvido dela, a voz tão grossa que ela poderia jurar que estava vindo de algum outro homem à espreita pelos cantos.

Ela estava preocupada com o que ele poderia fazer em seguida, então se levantou, dizendo a ele que a sua mãe estaria de volta em breve. Ele concordou que deveria ir embora e pediu a ela que mantivesse tudo em segredo. Sim, ela poderia mostrar à mãe as duas latas gigantes de Ovaltine que ele trouxera, mas nada mais. Não havia tempo para mais conversa, pois eles ouviram o burburinho de vozes se aproximando. Seria falta de educação ele ir embora agora, então esperou para receber Ma Blackie e Nna-nndo de volta à casa.

A aluna dele tinha ficado doente na aula, ele explicou, então ele viera conferir como ela estava; ele não sabia que Ma Blackie tinha ido ao mercado, ou teria vindo bem mais tarde. Ma Blackie demonstrou preocupação com a filha e comentou que talvez o ar de Ibuza não fosse bom para ela; a filha não era a mesma desde que tinham vindo de Lagos. O professor disse que tinha trazido um frasco de comprimidos para dor de cabeça que a fariam se sentir melhor.

Aku-nna escutou com os olhos baixos. Ela não ousava olhar para cima. A mãe dela poderia ver muitas coisas que ainda não estava preparada para saber da sua filha.

Chike desejou boa noite a todos e se ofereceu para trazer as tarefas da escola no dia seguinte, caso ela não se sentisse bem para ir.

A aflição de Ma Blackie transpareceu na sua voz. "Claro que ela vai amanhã", ela disse com uma ênfase desnecessária. Ela olhou de um para o outro e seu olhar advertiu Chike para cuidar onde pisava.

Ele deu boa noite mais uma vez. Ma Blackie respondeu, mas Aku-nna não. Tantas coisas tinham acontecido com ela num único dia, tantas coisas sobre si mesma que ela não compreendia.

UM TIPO DE CASAMENTO

Nunca demorava para que um visitante em Ibuza pudesse perceber — pela cultura, pelas tradições, pelo modo de manter registros, pelas superstições — que aquela era uma cidade igbo. Mais difícil era determinar se as pessoas deveriam ser classificadas como cristãs ou pagãs. Muitas pessoas frequentavam a igreja e cerca de três quartos dessas iam à igreja católica, pois em Ibuza havia uma crença generalizada nas coisas misteriosas. O culto da Igreja da Sociedade Missionária era muito desinteressante; o sermão costumava ser pregado por um africano e, na maioria dos casos, um africano da própria cidade, e esses sermões não tinham grande impacto sobre os fiéis de Ibuza. Já um sermão pregado por um padre irlandês, cheio de encantamentos místicos que faziam parte da ladainha do catolicismo, transmitia aos cidadãos de Ibuza o sentimento de que eles tinham ouvido o próprio Deus Todo-Poderoso. Eles podiam não acompanhar nem entender a missa em latim, mas o glamour das túnicas do reverendo, o cheiro nauseante do incenso, os cantos que soavam indianos, tudo isso ajudava a desorientar e convencer os ignorantes.

Havia várias sociedades diferentes na cidade, a maioria delas existia por motivações sociais; mas, no geral, era a faixa etária que determinava o pertencimento de cada pessoa. Os grupos etários eram definidos por intervalos de três anos, cada faixa caracterizada por um importante incidente. (As crianças nascidas durante a guerra civil são conhecidas como as crianças de Biafra, e quando bebês nascidos nessa época chegarem à adolescência, eles vão ter reuniões, organizar bailes no grande mercado Eke, eles talvez tenham danças especiais, que exigirão anos de prática, para os Natais em sua juventude ou para os festivais Ifejoiku de inhame.)

Aku-nna nasceu em torno da época em que o Rio Níger afogou centenas de garotas de Ibuza entre as idades de catorze e dezoito anos. A maioria delas tinha ido a Onitcha naquele dia de mercado com o objetivo de comprar roupas para partirem às casas dos seus novos maridos e, ao cruzar o rio na volta, foram desastrosamente arrastadas por uma tempestade tão violenta que quase todos que estavam em canoas abertas e desprotegidas perderam a vida. Apenas um ou outro remador sobreviveu e isso porque, como moravam perto do Rio Níger, eram nadadores experientes.

Em todas as nove aldeias que formavam a cidade de Ibuza, as garotas mortas foram choradas por meses. Todo mundo sabia, ou pensava saber, por que essas garotas tinham sido perdidas: o Rio Níger estava apenas tomando de volta o que era seu. Era uma crença predeterminada e fatalista, mas era suficiente para confortar os enlutados. A aceitação por parte deles da ideia de que não havia nada que ninguém pudesse ter feito como prevenção e o pensamento de que suas filhas tinham sido escolhidas para servir na corte de belas deusas do rio anulavam em grande medida as pontadas de dor. Depois do período de luto, contava-se que muitas mulheres de Ibuza engravidaram e, quando a maioria delas deu à luz meninas, houve o alegre entendimento de que a deusa do rio tinha dado essas novas menininhas para substituir as que tinha tomado. Esse grupo etário ficou associado ao ano em que o Rio Níger devorou as crianças de Ibuza: os povos de Ibuza jamais diriam que uma vítima tinha se afogado, mas que ele ou ela tinham sido devorados pelo rio, pois, sustentando esses eventos, havia a crença de que todo rio tinha uma deusa que precisava de um ou dois sacrifícios humanos de vez em quando.

Aku-nna pertencia a esse popular grupo etário. Esse era seu décimo quinto ano, e poucas delas já tinham casado, mas a maioria sabia que o Natal que se aproximava seria o último na casa dos pais. O Natal era uma época muito importante para todos. As escolas eram fechadas e os professores saíam de férias. Aqueles que tinham se aventurado por outras partes do país geralmente vinham à casa nesse período para exibir sua nova riqueza aos parentes menos afortunados, que permaneciam trabalhando como agricultores a vida inteira. O grupo etário de Aku-nna ia marcar a ocasião esse ano com uma dança para divertir sua gente e havia rumores de que elas também iriam a lugares como Ubulu-ukwu e Isele Azagba para demonstrar suas habilidades em intrincados passos de dança. Então, em vez de sair para brincar ao luar, ou de se divertir nas cabanas das mães com os jovens locais, todas elas passavam as noites treinando a especial dança aja.

Como estivera ocupada se preparando para os exames, Aku--nna não tinha participado dessas sessões desde o começo, mas agora que as provas tinham passado e faltavam duas semanas para a divulgação dos resultados, ela precisava se dedicar aos ensaios de dança, pois não estava confiante de que se sairia bem. Ela percebeu que tinha uma boa voz, treinada por anos de canto no coral da igreja, então as músicas não eram difíceis de aprender com a ajuda da prima Ogugua. Esse descanso da escola era uma boa oportunidade para conhecer melhor suas novas amigas e Aku-nna estava apreciando isso. Seu círculo de conhecidas se ampliou até incluir não apenas Ogugua, agora de modo diferente e mais íntimo, mas também muitas outras garotas, como Obiageli, cuja avó vendia um tipo de pudim igbo feito com banana-da-terra, e Obiajulu, cujo pai era um chefe de chapéu vermelho muito rico, com muitas esposas e filhas orgulhosas.

O professor de dança era um homem alto que poderia passar por muito jovem, apesar de ser mais velho do que parecia, pois ainda estava muito em forma e sem nada de pele flácida. Ele tinha herdado sua primeira esposa e ela era muito mais velha que ele; sua segunda esposa tinha lhe dado três crianças, mas, tristemente, apenas uma ainda vivia. Ele era conhecido localmente como Zik, um apelido emprestado de um dos políticos responsáveis por levar a Nigéria do colonialismo para a independência. O Zik de Ibuza, que vivia em Umuodafe, tinha o mesmo porte orgulhoso e atitude carismática que o político tinha na juventude e, quando ele caminhava, parecia estar sempre buscando algo nas nuvens. Suas pernas muito compridas, que estavam sempre expostas quando ele ia ao campo, ou quando ele fazia sua parte na aja, terminavam no par de pés mais flexíveis que se podia imaginar. Ele raramente usava sapatos e, como seus calcanhares nunca tocavam o chão, ele parecia estar perpetuamente dançando sobre as pontas das plantas dos pés. Ele era muito bom para compor e cantar as músicas aja. E estava sempre rindo. Era simplesmente daquela rara espécie que parece nunca envelhecer.

Aku-nna gostava de Zik. Ele deu a ela solos de canto e ela foi escolhida para ser uma das garotas que cantariam os nomes de louvor do grupo etário — contando a história dos seus nascimentos com uma canção sobre como elas tinham sido entregues ao povo de Ibuza para trazer conforto depois da perda sofrida com a morte das garotas afogadas. Aku-nna deveria cantar o nome de louvor de Zik e contar ao público, com uma música aja, que, se fosse possível parentes se casarem entre si, ela escolheria Zik. As outras garotas se uniriam ao coro, cantando "ah... iii... i", em sinal de concordância.

As garotas conversavam e sonhavam com a dança da apresentação. Elas trabalharam e economizaram muito para comprar a jigida, as contas vermelhas e pretas que elas usariam por cima das peças de baixo tipo biquíni. Fora isso, a parte de cima ficaria nua, exibindo as tatuagens de cor azul que contornavam as suas costas, passavam por baixo dos seus seios jovens e se encontravam no coração. Seus pés também estariam descalços, mas pequenos sinos seriam amarrados nos seus tornozelos, para que, quando elas dançassem e pulassem, ou fizessem reverências, ou rastejassem por modéstia, os sininhos tocariam junto. Seria o grande momento da vida delas e sabiam disso. Quando fossem velhas, com cachimbos de argila na boca sem dentes, elas se voltariam aos netos e diriam: "Quando éramos jovens e nossos seios eram firmes como cordas bem atadas, nós fizemos a dança aja. Foi a melhor dança do mundo e fomos nós que dançamos".

Na tarde de um dia de mercado Olie, cerca de uma dúzia das garotas decidiu buscar lenha. Elas tinham ido ao riacho naquela manhã e tinham lavado suas roupas e se banhado. Aku-nna estava arrumando o barro do chão da cabana da sua mãe e gostou da ideia de uma mudança. Se ela preferia ficar sentada e fofocar com suas amigas sobre a dança ou sobre os amigos do sexo masculino, ela não disse nada, pois preferia seguir as outras do que ficar sozinha com seus pensamentos. Ela pegou seu facão e as cordas e foi com Obiajulu e Ogugua buscar as outras. Elas se sentiam seguras e fortes quando estavam num grande grupo. Elas podiam provocar os homens mais velhos no campo, podiam cantar, nenhum inimigo as assustaria; não que elas tivessem inimigos, mas, em Ibuza, uma garota precisa andar preparada para qualquer coisa. Algum jovem que não tivesse dinheiro para pagar por uma noiva poderia sair de um esconderijo no mato e cortar um cacho do cabelo de uma garota para que ela então pertencesse a ele por toda a vida e nunca pudesse retornar aos pais; por ele ter lhe dado o corte de cabelo perpétuo, ele poderia tratá-la como quisesse e nenhum outro homem jamais tocaria nela. Era para se proteger contra isso que muitas garotas cortavam seus cabelos muito curtos; e aquelas que tinham cabelos longos usavam um lenço na cabeça a maior parte do tempo. Mas quando elas estavam em doze, um homem ou garoto que ousasse tentar uma coisa dessas sabia que seria tão agredido que, se sobrevivesse para voltar à casa da mãe, ela nem poderia reconhecê-lo.

Quando chegaram à fazenda abandonada onde encontrariam lenha, elas se espalharam pelo mato, concordando que assobiariam entre si para indicar que estavam prontas para ir embora. Para cada pedaço de madeira, elas tinham que puxar e sacudir e, caso ele ainda não se soltasse com um novo puxão, elas usavam o facão. Aku-nna estava trabalhando duro havia um bom tempo num pedaço de madeira de icheku, que tinha uma falsa aparência de estar seco na superfície, mas simplesmente não cedia. Se continuasse assim, ela teria que desistir e procurar outra madeira, ou nunca estaria pronta quando as outras começassem a chamar para voltar para casa.

Com toda a força, ela deu um último golpe. A madeira quebrou, caiu no chão e, no encalço, fez com que ela também caísse. No mesmo instante, ela sentiu a agulhada atrás da cintura. Essa seria a terceira vez e agora ela sabia o que esperar. Ainda não contara à mãe, mas dessa vez seria impossível de esconder, pois as outras perceberiam. Tudo isso passou pela cabeça dela enquanto ela estava caída entre galhos secos, olhando para a mão que sangrava e sabendo que também perdia sangue entre as pernas. Seus pensamentos estavam num turbilhão de dúvidas sobre o que fazer. A proximidade dela com Chike tinha se cristalizado e estava, agora, tão estabelecida que ela não conseguia tomar uma decisão sem querer consultar a opinião dele. Mas ele não estava ali na fazenda. Ele poderia estar a milhas de Ibuza, até onde ela sabia, a julgar pelas distâncias que ele podia percorrer com a nova bicicleta motorizada que acabara de comprar. Ela chegou à conclusão de que não havia alternativa a não ser contar para a mãe. Pressentiu o que isso significaria; ela não seria mais considerada uma criança que não sabia de nada, mas uma jovem mulher perto da maternidade. Não é que ela quisesse fugir de se tornar adulta, mas temia o futuro que sua gente poderia forçar para ela. Se pelo menos as coisas pudessem continuar como estavam agora, encontrando Chike em todos os dias de mercado em Asaba, e os dois sentando à margem do rio no lugarzinho quieto que tinham descoberto para eles, fazendo nada, apenas conversando e conversando, e ele ensinando todas as últimas canções de um livro de música que tinha encomendado de Lagos. Uma ou outra vez, ele lhe fizera uma leve carícia, mas tinha o cuidado de não ir longe demais pois, para ele, ela era algo diferente, algo puro que ele não queria manchar. Ela estava começando a entender isso e a reagir aos desejos não ditos dele. Ela estava começando a perceber também que, apesar de Chike ser capaz de falar eternamente na sala de aula, porque era seu trabalho, quando estava sozinho ou com ela, ele preferia o silêncio. Às vezes eles escutavam a música do rio e os barulhos feitos pelas folhas dos arbustos ao redor, mas, no geral, eles apenas escutavam os seus corações.

Que Chike era um homem que, pela primeira vez na vida, tinha se apaixonado descontroladamente, era fácil de ver. Uma e outra vez o pai dele tinha alertado que ele estava se arriscando perigosamente, mas Chike queria deixar claro que não iria embora para universidade nenhuma sem Aku-nna. Ele tinha dito, de modo educado, para seu pai, que andava incomodado e berrando de raiva, que ficasse com seu dinheiro. Ele e Aku-nna dariam um jeito. Qual era o sentido de ter um diploma, de qualquer forma? Poderia fazê-lo subir na vida, mas não o faria necessariamente mais feliz. Por muitas semanas, seu pai tinha se emburrado e se recusado a falar com ele, até que a mãe de Chike fez um apelo, dizendo que o filho estava ficando emocionalmente doente, sem falar com ela, comendo pouco e parecendo tão infeliz que ela estava certa de que tinha algo errado na cabeça dele. Ela implorou ao marido que falasse com o filho, que, por favor, incutisse nele a ideia de que havia muitos peixes no mar, que o relembrasse de que ele era muito jovem e tinha um futuro brilhante pela frente.

Ofulue viu que sua esposa, a mãe de Chike, era uma mulher angustiada. Ele era um professor numa pequena cidade chamada Obankpa quando se casou com ela, uma mulher magra e assustada, cheia de beleza, mas sem saber disso. Tinha um jeito de permanecer calma, sem nunca levantar a voz nem gritar, mesmo quando pariu os filhos. Ela era a paz para ele. A maioria dos filhos puxou a ela. Mas, se os filhos eram quietos como a mãe, todos eram sexualmente ativos demais, e não podia ser dela que tinham herdado essa característica, pois ela era recatada como uma freira, olhos sempre baixos e sedutores de um jeito modesto. Nem poderia ser dele; nenhuma das suas quatro esposas poderia reclamar que ele alguma vez cobrara sexo em demasia. Mas ele tinha passado para Chike toda a masculinidade que um homem poderia desejar. E ele amava o filho porque ele tinha puxado da mãe toda a beleza que ela tinha a oferecer.

Ofulue fez as pazes com Chike, que contou a ele, então, que pretendia deixar Ibuza para ir trabalhar com a nova empresa petrolífera internacional que estava escavando em Ughelli. Ele tinha escolhido essa cidade, a apenas cem milhas de distância, porque muitos dos seus colegas urrobos tinham casas de barro com telhados de zinco, e ele e Aku-nna poderiam encontrar seu primeiro lar. Eles teriam que fugir, não havia outra maneira. Ele não conseguiria ser feliz com nenhuma outra mulher e tinha certeza de que não havia outro homem para Aku-nna a não ser ele.

Seu pai relembrou que, embora o povo de Ibuza ficasse unido em tempos difíceis, eles nunca perdoariam alguém que tivesse sucesso onde eles fracassavam. Ele vivia em meio a eles sabendo até onde eles estavam dispostos a ceder, e nunca pedia nada além disso. Alguns consideravam sua atitude meio cheia de orgulho, porque ele nunca dera motivo para que lhe recusassem um favor. Ele tivera que comprar a terra onde agora plantava cacau, enquanto outros homens teriam apenas plantado e depois reivindicado a terra como deles. O jeito de Ofulue era melhor para ele, pois ninguém poderia mexer nas terras dele sem causar grandes problemas judiciais. O que Chike estava pedindo que o pai fizesse daria ao povo a primeira oportunidade de dizer "não" a ele. Não apenas eles recusariam, como eles diriam "não, você é um oshu".

Chike ficou envergonhado diante dessa franqueza do pai engasgado de emoção. Ele pediu desculpas por ser um filho tão impossível, mas o que poderia fazer?

"Eu sonho com a garota, eu a vejo em tudo, no rio, eu vejo o sorriso dela quando estou sozinho na bicicleta, eu ouço sua voz fina quando os pássaros cantam. Não sei dizer como ficamos felizes quando podemos largar as bananas-da-terra dela no Rio Níger e simplesmente sentar e conversar".

O pai, que estava olhando sem foco para a parede oposta e fumando seu cachimbo como se fosse um cachimbo da paz, pediu que ele repetisse o que acabara de dizer e, depois de ouvir a explicação de Chike, ele perguntou, agora interessado:

"E quem paga pela banana-da-terra que vocês jogam no rio?".

"Eu pago, Pai. Ela não consegue carregar muito, então tudo custa só três xelins. Ela compra por um xelim e seis centavos, e deve vender por três. Eu digo para ela pegar o cacho menor e mais leve e espero por ela em Cable Point, então depois de nos livrarmos das bananas, temos o dia todo para nós mesmos. Foi assim que nos conhecemos melhor. Eu não poderia conversar com ela de outro jeito: sempre tem gente na cabana deles, ou a mãe dela está lá com as suas histórias estranhas. Então tivemos que inventar esse jeito, até que ela possa começar a dar aulas depois do Natal".

"Tem uma coisa que imploro a você. Faça o que fizer, não estrague essa menina, não a desvirgine antes de ter certeza de que ela vai ser sua esposa. Não existe destino pior para uma mulher nessa cidade do que o de uma mulher que chega à cama do marido maculada".

"Ninguém vai tocar nela além de mim".

"E você também não vai roubá-la. Podemos ser descendentes de uma mulher osu, mas gosto de fazer as coisas do jeito certo. Me avise quando ela se tornar uma mulher e então iremos falar com a gente dela".

"Mas, Pai, e se eles recusarem, o que vamos fazer?".

"Você está dançando antes mesmo da música começar. Espere que ela comece. Se o ritmo mudar, nós também vamos mudar com ele. Mas não podemos fazer nada até que a música comece. Mantenha o ouvido no chão e fique atento, para que você não seja o segundo a pedir por ela quando ela se tornar uma mulher. Tenha muito cuidado".

Não havia necessidade para os avisos do pai. Chike já sabia que tinha que avançar com cuidado. Não podia escapar do fato de que seus ancestrais tinham sido comprados. Se eles tivessem sido uma família de pobres ninguéns, as coisas poderiam ser mais fáceis; mas aconteceu deles serem os Ofulues de Ibuza, e isso era muito doloroso para pessoas cujos ancestrais eram Umejeis. O que essas pessoas esqueciam às vezes é que Umejei também tinha vindo de outro lugar, de Isu, que ele não tinha sempre vivido lá. Em resumo, todas as pessoas de Ibuza eram imigrantes. Era um fenômeno das sociedades humanas que ocorria não apenas em lugares remotos como as pequenas cidades de Ibuza, Asaba ou Okpanam, mas também entre os povos muito civilizados da América, da Grã-Bretanha e da Rússia; era nisso que a família Ofulue, sendo muito culta, encontrava consolo. Desde que mantivessem uma distância respeitável, eles podiam aproveitar sua riqueza e sua elevada posição social em paz.

Na última vez que Aku-nna e Chike tinham se encontrado, ele contou a ela parte dessa discussão com seu pai, mencionando os pontos que ele sabia que a tranquilizariam: que o pai disse que ela era uma boa moça, que ele conhecera o pai dela, que eles não deveriam ir longe demais sem um casamento adequado. Apesar dele ter pulado as partes ruins sobre as dificuldades, ela já estava ciente delas.

"Seus pais virão me pedir em casamento da maneira correta para os meus pais?".

Ele acenou a cabeça em silêncio e olhou para longe, torcendo e retorcendo o cabelo trançado dela até que sua cabeça começasse a doer. Ela não fez mais perguntas, pois já sabia que haveria problemas.

O sol estava descendo do meio do céu para o leste e, quando chegou a hora deles se separarem, ele a abraçou com força até ela sentir o coração batendo muito rápido, e os mamilos dos seus seios livres pareceram cravar no peito dele. Eles estavam sob a sombra de uma grande árvore, cujo nome as mentes deles estavam ocupadas demais para lembrar, e ele a soltou gentilmente. Aku-nna suspirou, quase às lágrimas. Ele mesmo estava perturbado e trêmulo, mas segurou a mão dela, se inclinou para pegar o cesto de banana-da-terra e a levou para o campo aberto. Em Cable Point, eles se separaram, e ele prometeu ir à cabana deles em poucos dias. Ela disse um adeus úmido.

Era nesta noite que ele deveria vir, e agora aquilo estava acontecendo com Aku-nna, ali na fazenda, antes de haver tempo para que eles se encontrassem e se preparassem para as próximas ações. As amigas dela certamente teriam que saber da condição dela quando chegasse o momento de cruzar o riacho voltando para casa. Será que ela teria que ser carregada, ou o deus ou quem quer que possuísse o rio seria sensato o bastante para perdoá-la por cruzá-lo apesar de estar suja? Afinal, ela não sabia que isso ia acontecer, nesse campo, nesse calor escaldante. Era melhor pedir o conselho das amigas em vez de cometer um erro e ser condenada a ser pária, como uma leprosa, pelo resto da vida.

Elas deviam tê-la perdido de vista, pois ela só conseguia distinguir um zunido de vozes. A prima dela soava chorosa, mesmo nessa distância, e bastante agitada. Elas ainda estavam longe demais para ouvi-la caso ela gritasse, então Aku-nna tentou se levantar e descobriu que sentia muita dor, pois tinha batido as costas contra a terra seca e dura, coberta por ervas daninhas afiadas. Logo ela reconheceu nos ruídos crepitantes de folhas ressecadas os passos de alguém se aproximando. A pessoa obviamente teve uma premonição de estar se aproximando de onde Aku-nna estava estirada presa à dor, pois chamou suavemente, como se na presença de algo sagrado:

"Aku".

"Estou aqui", ela respondeu num sussurro rouco. Não estava gravemente ferida; o que lhe faltava era a energia para confrontar o mundo da sua gente. O choque de ser forçada a isso tão de repente se misturou ao choque da sua lesão a tal ponto que ela não sabia mais dizer qual dor pertencia a que, ou qual era pior. Ela agradeceu a Deus que a garota que a encontrou foi sua prima Ogugua. Ela fez um gesto para que a prima se sentasse e contou-lhe tudo.

Aku-nna estava resignada com o fato de que as coisas seriam diferentes depois daquele dia, mas ela não contava com a reação imediata de sua prima. Ogugua lhe deu um abraço apertado cheio de alegria, rindo e dizendo a ela com a voz aguda que finalmente ela era uma mulher completa. Antes que Aku-nna pudesse impedir, ela pulou e gritou para que as outras viessem, para que testemunhassem que elas tinham saído para buscar lenha com uma menina, mas que elas voltariam para casa com uma mulher adulta.

Houve mais ruídos crepitantes em volta delas e as outras surgiram, moças pretas como carvão com leveza nos pés, como jovens deusas libertadas por um deus gentil. Elas estavam curiosas para descobrir o que segurava Aku-nna ali embaixo entre gravetos e folhas secas de mandioca; estavam curiosas para saber por que Ogugua estava tão animada. Elas vieram, os pescoços esticados como os de jovens girafas procurando frutas no topo das árvores, e Ogugua contou as boas novas. Para ela tratava-se disso; elas estavam preocupadas e se perguntando se Aku-nna algum dia se tornaria mulher, e agora ela estava feliz e tinha certeza de que sua família também ficaria feliz. O riso das garotas foi como o som de nítidos sinos numa manhã de Natal. Elas dançaram e imitaram uma saudação aja e, então, sem mais pressa para voltar para casa, todas se sentaram e perguntaram com uma preocupação amável e genuína como ela se sentia e se conseguiria caminhar até a casa. Ela disse que conseguiria, pois não é que o ânimo delas afetara o seu próprio? Elas ficaram ali por um tempo, tagarelando e conversando miudezas sem preocupações, como o fazem todas as jovens moças na primavera da vida, planejando seus casamentos, aguardando sua apresentação de dança aja, gargalhando e dando risadinhas por pura felicidade.

Foi decidido que o deus do rio perdoaria Aku-nna dessa vez, pois como uma garota poderia saber quando e onde ela se tornaria mulher? Foi acordado, entretanto, que ela deveria passar pela água rasa o mais rápido possível e não ficar para tomar banho; e no dia seguinte sem falta, Ma Blackie teria que vir e sacrificar para o rio um pintinho de um dia de idade. O caso todo parecia tão elaborado que Aku-nna se sentiu mal, sabendo que ela tinha escondido suas duas menstruações anteriores. Por seu punhado de lenha seca ser tão leve, as outras prometeram compensar dando à mãe dela um pouco do que tinham pegado.

O sol estava caindo e elas sabiam que, a essa hora, a maioria dos trabalhadores do campo já teriam ido para casa. Quanto menos pessoas encontrassem, melhor. Assim, na trilha a caminho do rio, conversando e às vezes irrompendo em canções conforme andavam, elas não cruzaram com ninguém. Obiajulu perguntou a Aku-nna se ela tinha ideia de com quem se casaria, e Aku-nna disse que não sabia.

"Mas muitos homens pediram por ela", Ogugua confirmou, "e meu pai disse a eles que ela ainda era uma criança. Mas não mais a partir de hoje".

"Você sabe quais famílias pediram por ela?", outra garota quis saber.

"A família Nwanze de Umuidi e os Chigboes de Umuokpala. E uma outra família, de Umueze. Não consigo lembrar o nome deles, mas Aku-nna, você conhece o filho deles. O que tem pele clara e que manca. Ele estava na mesma turma que você na escola, e ele fala demais, foi o que ouvi dizer".

Aku-nna interrompeu o passo ao ouvir essa notícia. Então exclamou: "Você está falando de Okoboshi? Sim, conheço. Quer dizer que o pai dele veio me pedir para o filho?".

"Sim, você não sabia que era por isso que eles vinham quase todas as noites?".

As outras riram e concordaram que era melhor uma garota não saber dessas coisas até que estivesse totalmente crescida, caso contrário ela poderia começar a ser desobediente com os pais. E mais uma coisa, o preço tinha que ser negociado; Aku-nna renderia uma grande soma por ter frequentado a escola por tanto tempo.

Ela teve vontade de gritar para que elas parassem. Teve vontade de dizer com orgulho que, se dependesse dela, era Chike e mais ninguém: elas todas deviam saber sobre a amizade entre ela e Chike. Mas amizade era uma coisa, casamento, outra. Uma garota de uma boa família casar com o descendente de um escravo seria uma abominação, ife alu. Pouco a pouco, a alegria cálida que ela sentia apenas minutos antes se esvaiu. Ela pensou em Chike, com a pequena barba que ele estava tentando deixar crescer para espantar maus-olhados para longe dela, nas carícias suaves dele e na sua voz grave e triste, nos olhos que refletiam todas as preocupações que ele tinha na cabeça. Tinha se acostumado tanto com ele que só precisava buscar seus olhos, afundados atrás dos óculos que ele às vezes usava, e sem que ele dissesse uma palavra, ela sabia o que deveria fazer. Como o mundo podia estar tão cego? Os outros não enxergavam que eles pertenciam um ao outro? Ela nunca acreditara tanto em alguma coisa. Imagine aquele desbocado do Okoboshi, que nunca lhe dissera uma palavra agradável, querendo casar com ela! A mãe dela nunca permitiria. De qualquer modo, ela ia dar aulas por um ou dois anos antes de pensar em casamento, a mãe tinha concordado. Ma tinha dito: "Não vou deixar você sair da minha vista até ter dezessete anos, ou você vai acabar morrendo no parto. Você é tão magra e pouco desenvolvida. Você só tem pernas e olhos". Isso a consolava. Ela tinha certeza de que o seu tio, agora padrasto, consentiria e deixaria que ela desse aulas por um tempo para ajudar a mãe.

Mas Aku-nna não percebia muitas coisas. Ela não sabia que o tio queria ser um Obi, não sabia o quanto ele queria o título Eze. Ela não sabia que a mãe, Ma Blackie, estava esperando um filho para Okonkwo e estava naquele primeiro estágio emocional da gravidez em que tudo que ela queria era paz para pensar na criança por nascer, e estava tão alucinadamente feliz que ela se renderia a qualquer coisa antes de se indispor com o homem que era o autor da sua atual felicidade.

As garotas se aquietaram ao se aproximarem do riacho. Exceto por duas mulheres de meia-idade mais para baixo, que estavam amassando mandioca para a refeição da noite, a área das mulheres estava toda deserta. O lado dos homens estava um pouco mais cheio; meninos de férias gostavam de se refrescar ali e pescar, depois de passar o dia inteiro no campo. Alguns deles estavam tomando banho e contavam piadas e debochavam de um velho homem que, como sempre, estava relatando a história da sua vida.

"A minha primeira esposa fugiu", ele estava contando, "porque eu batia nela. Minha segunda esposa morreu quando estava tendo um filho. Da minha terceira tive que abrir mão, porque eu a alimentei ao longo de sete anos e ela não me deu nenhuma criança".

"Você não deveria tê-la mandado embora. Ela era uma ótima cozinheira, fazia uma sopa de caranguejo muito boa. Ficava sempre deliciosa".

A última voz flutuou até as garotas do outro lado do riacho, que agora enfrentavam o dilema de se daria tudo certo caso Aku-nna atravessasse com todos observando, porque ao final das refeições da noite, as pessoas saberiam de tudo que ocorrera no campo. Mas Aku-nna estava tomada de alívio, pois ela tinha reconhecido a voz que respondia ao velho. Era o irmão mais novo de Chike, Isito, que viera para casa durante as férias da faculdade de formação de professores em Ubiaja; ela sabia que os dois irmãos sempre andavam juntos. As histórias do velho eram tão inquietantes que, a princípio, ninguém reparou nas garotas.

"Sim, ela cozinha bem, mas eu também quero um filho. Um filho homem gordo como um inhame rechonchudo para herdar todas as minhas propriedades".

Todos os garotos riram disso, já que todo mundo sabia que Okolie não tinha nada além de sua cabana de barro coberta de grama, sua roupa e um órgão, instrumento que ele só parava de tocar para falar, comer ou fumar seu cachimbo.

Foi Okolie quem as viu primeiro. "Vejam aquelas beldades vindo do campo a essa hora do dia! O que vocês estavam fazendo? Há alguma coisa errada?". Ele se abaixou e jogou um punhado de areia nas próprias costas e, então, caminhando em frente, seu corpo seco e nu totalmente exposto para as garotas, ele disse: "Esfreguem essa areia nas minhas costas, por favor. Foi um dia muito quente e minhas costas estão pinicando de calor".

Após um momento de hesitação, as garotas o cumprimentaram com seu nome de louvor: "Portador da paz".

Em resposta, ele disse: "Vocês terão paz nas suas vidas, minhas meninas". Ainda exibindo as costas com areia para Obiajulu, ele repetiu: "Esfregue a areia, por favor. Foi um dia quente".

"Só vamos colocar nossa lenha do outro lado e então eu volto para esfregar a areia nas suas velhas costas", a voz de Obiajulu estava baixa demais para ser normal.

As pessoas pararam o que estavam fazendo para olhar. Até Chike, que estava bastante afastado no lado calmo do riacho, pensativo enquanto pescava, se voltou para a direção delas. Aku-nna atravessou rapidamente com as amigas, rezando para que o deus do rio fosse leniente diante desse terrível pecado que ela estava cometendo.

Obiajulu e as outras meninas deixaram suas lappas, que iam até a altura do joelho, por cima da pilha de lenha, cobriram suas partes íntimas com as contas que usavam ao redor da cintura e voltaram para o riacho para lavar o barro do campo. Aku-nna esperou na margem.

"Aku-nna, você é tão tímida que não pode se banhar com as amigas da sua idade?", Okolie soava como um sapo gripado. "Qual o seu problema? As pessoas tímidas também costumam ser dissimuladas. Olhe pra mim, eu não tenho o que esconder. Então por que você, com seu corpo jovem, teria vergonha? Quando você vai sentir orgulho do seu corpo se não for agora, que está ficando madura?".

Ele avançou pela água até onde ela estava parada, com os braços cruzados sobre o peito numa tentativa modesta de cobrir os seios. Ele a perscrutava enquanto quase todo mundo no riacho parecia ter sido hipnotizado pela voz dele, pois todos tinham interrompido o que faziam e apenas observavam os dois.

"Não sei onde o mundo vai parar. Quando eu era jovem, meninas da sua idade nunca pensavam em roupas. Era só depois do casamento que as mulheres se amarravam em panos, não antes. Veja todas as suas amigas com pesadas contas jigida na cintura só para cobrir a sua nudez".

Outras vozes se juntaram e começaram a falar ao mesmo tempo. Chike a tinha visto e, sem saber se ela também o vira, começou a assobiar a música favorita deles. *Brown skin gal, stay home and min' baby.* Os olhos dela seguiram a direção da música e, quando ela o viu, parado ali, com a vara de pesca na mão, o rosto dele se virou para longe para que as pessoas não suspeitassem que era para ela que ele assobiava. Ela olhou apenas tempo suficiente para ter certeza de não estar imaginando coisas — tinha aprendido que, se ela fixava o olhar, as pessoas adivinhavam o que ela estava pensando — e suspirou de alívio, dizendo a si mesma que tudo ficaria bem enquanto Chike estivesse ali no Rio Atakpo.

De repente ela se deu conta de que Okolie ainda estava falando e de que as donas de casa amassando mandioca do outro lado estavam lhe respondendo.

A mulher que falava mais alto entre as duas estava lhe dizendo, com palavras longe da decência, que tinha sido a tagarelice dele, essa tagarelice constante, que tinha afastado sua terceira esposa, Adaolie. Por que ele não cuidava da própria vida?

"Só estou tentando ajudar, ver se ela precisa de alguma ajuda".

"Então espere que ela peça ajuda, seu criador de intriga", retorquiu outra jovem mulher que, com seu marido igualmente jovem, estava voltando do campo.

A essa altura, todos já tinham deduzido o que acontecera. As mulheres de meia-idade cochichavam em tom conspiratório. A jovem mulher deu um sorriso cúmplice para o marido, e os meninos na outra ponta do riacho começaram deliberadamente a falar de outras coisas num volume tão alto que ficou claro para todos que eles estavam tentando se comportar como se incidentes dessa natureza ocorressem todos os dias.

Chike guardou o equipamento de pesca, enrolou uma lappa colorida sobre o calção de banho, encheu uma pequena calabaça com água fresca e fez um sinal para o irmão, indicando que era hora de partirem. Isito não discutiu, pois ele vislumbrou uma preocupação nos olhos do irmão mais velho e se compadeceu, como o faria qualquer amigo. Em silêncio, ele compartilhou da infelicidade do irmão, e os dois caminharam pela água rasa, bastante cientes de que muitos olhos seguiam os seus passos. Quando eles chegaram onde Aku-nna estava, Isito deu um aceno amigável e seguiu adiante, mas Chike parou. Ele ficou ali observando-a imóvel, sem escutar nenhum outro som, embora os nervos uivassem como cachorros para a lua.

Ele a viu tão somente do jeito que ela estava nesse momento. Sim, ela tinha crescido bastante nesse último ano. A pele pura dela brilhava com a cobertura fresca da juventude. Ela era alta e aprumada, talvez com uma tendência a se inclinar levemente para a frente, mas a causa era fácil de entender: seus pequenos seios, crescendo rapidamente como um pão assado num forno quente, estavam se tornando pesados demais para seus ombros estreitos. Aqueles olhos castanhos que tinham um modo de refletir tudo ao redor dela agora pareciam muito assustados. Ela olhou para ele num apelo e então rapidamente voltou o olhar para o chão rachado, ciente de que eles estavam sendo abertamente vigiados, já que estavam cercados de silêncio humano. Ele não deu sinal de estar consciente do escrutínio. Aku-nna tinha crescido e, não fosse pelas leis da sua terra, tudo que ele queria era levá-la embora, atravessar as montanhas de Atakpo para longe, onde eles poderiam não ver ninguém por muitos e muitos anos, onde eles ficariam totalmente sozinhos como selvagens de antigamente, ele caçando para terem o que comer, ela esperando na moradia para receber o amor dele e entregar o dela.

Ele percebeu que essas eram fantasias da sua mente ansiosa. O mundo de sonhos no qual ele havia momentaneamente submergido se desmanchou quando ele sentiu o tapinha do irmão no seu ombro. Os olhos dele ainda se dirigiam a Aku-nna com a intensidade de demanda que ele estava acostumado a usar apenas quando analisava os movimentos misteriosos dos peixes nos pequenos riachos de Ibuza nos dias quentes e calmos.

"As pessoas estão nos olhando, irmão", Isito murmurou sem necessidade.

Os irmãos subiram as colinas até a aldeia em meio à noite suave. Em uma cidade como Ibuza, as pessoas não precisavam de jornais nem rádios como mídia local; esses meios modernos de disseminar informação eram alheios a eles e, mais que isso, lentos demais, e as pessoas teriam que saber ler e escrever para acompanhar. Os mais velhos, que tomavam as decisões sobre a vida de uma garota como Aku-nna, não precisavam desse conhecimento letrado. Qual era o sentido de se dedicar a aprender o alfabeto, de que serviria? Não ensinaria a eles qual era a melhor estação para plantar inhame; não revelaria qual seria seu destino com alguma mulher em particular. Eles tinham seus próprios métodos de saber dessas coisas sem os benefícios do ABC.

A notícia dos acontecimentos no campo tinha chegado à casa antes das garotas, assim como a especulação de que Chike Ofulue, o filho de um escravo, tinha olhado para a filha de um cidadão de Ibuza nascido livre com olhos de desejo.

Portanto, foi com uma combinação de alegria e apreensão que Ma Blackie recebeu a filha em casa. Ela fez um alvoroço sem fim, instruindo a filha em voz muito alta sobre os deveres e proibições da condição da mulher na cultura deles. Ela não deveria ir ao riacho, ela não deveria entrar na casa do seu padrasto, nem na casa de nenhum chefe Eze, até que tudo tivesse passado.

Okonkwo ficou muito satisfeito e a presenteou com uma galinha que estivera protestando violentamente na sua ninhada. Ele disse a Ma Blackie que matasse a galinha para fazer uma apimentada sopa Nsala para a filha, que tinha agora se tornado uma mulher. Ele ficou ali, sob a luz esmaecida, observando-a como alguém observaria uma estátua preciosa, interiormente congratulando a si mesmo pela sorte de ter tido a oportunidade de se casar com a mãe dela. Agora todo o preço de noiva viria para ele. Ele não dera a Ma Blackie a criança que ela desejava há anos? Ele conhecia as mulheres. No estado de espírito que Ma Blackie estava agora, a palavra dele teria peso de lei. Ele estava prestes a voltar para a própria casa para pensar qual dos pretendentes pagaria a maior soma mais rápido quando sua mente lembrou de Chike e ele gritou chamando Aku-nna.

A súbita dureza que arranhou a voz dele a assustou. Foi tão sem aviso que teria sido difícil para um observador externo dar crédito que os tons sedosos e carinhosos de um minuto antes tinham vindo do mesmo homem com essa nova voz autoritária, quase perversa.

"Aku-nna, Chike Ofulue é apenas um amigo. Você deve se lembrar disso. Agora que você cresceu, essa amizade deve gradualmente morrer. Mas deve morrer!".

Ele se afastou, deixando-a ali ao lado das árvores egbo, pois ele não pode nem se aproximar nem encostar nela enquanto ela estiver suja. Ela ouviu os passos dele amassando as folhas conforme ele caminhava, sem nunca olhar para trás para ver como ela estava encarando essa nova restrição, e isso lhe pareceu comprovar que esses homens, esses anciãos, tinham sentimentos por algumas das mulheres com quem se casavam. Okonkwo devia saber como ela ia se sentir. A vida dele não podia ter sido completamente sem amor; ele deve ter se importado com alguma mulher pelo menos uma vez, e ter sido amado e cuidado também; caso contrário, ele certamente não teria vindo felicitar Aku-nna pessoalmente por ter se tornado uma mulher. Mas o jeito que ele falara agora tinha sido com a voz da autoridade, aquela autoridade que era um tipo de poder legalizado. Ele estava dizendo, com poucas palavras, que ela nunca poderia escapar. Ela estava presa na intrincada rede de tradições de Ibuza. Ela deveria obedecer ou trazer a vergonha e a destruição para cima do seu povo.

Mas e quanto a Chike? Ao pensar nele, ela sentiu uma tristeza carregada que pesou solidamente no seu peito e teve vontade de arrancá-la para fora. Ela voltou à cabana da sua mãe e viu que a galinha que há pouco estava viva agora já tinha sido morta. O irmão dela tinha chamado seus amigos e, juntos, eles papeavam como macacos enquanto puxavam as penas da pobre galinha que tivera de morrer tão impiedosamente, só porque ela era uma mulher. Ela não comeria, tinha decidido; não que essa resolução exigisse muito convencimento, pois ela tinha notado que, no primeiro dia de cada menstruação, as agulhadas e a sensação de peso a faziam perder o apetite.

Havia outro pensamento deixando Aku-nna com medo. Ela estava começando a achar que era injusto ela não ter direito a opinar na própria vida e ela estava começando a odiar a mãe por ser tão passiva com tudo. Pensou na mãe a aconselhando a esquecer Chike e fazer o que lhe mandavam, porque outro homem aparecera, igualmente bem-educado, mais bonito, e filho de um alguém. Ela sempre mostrara a Ma Blackie os presentinhos que Chike costumava comprar para ela, e agora Ma os desconsiderava, dizendo que eram o preço que ele naturalmente tinha que pagar para fazer amizade com a filha de uma pessoa nascida livre. Isso revirou o estômago de Aku-nna a tal ponto que, quando ela foi chamada a partilhar da galinha morta especificamente para ela, respondeu secamente que não, ela não estava com fome. Ozubu, a segunda esposa de Okonkwo, que estava lá com todos os seus filhos para compartilhar da ilustre galinha, começou a repreendê-la e dizer, em tom de protesto, o quanto era ingrata. Ela foi relembrada do fato de que muitas outras garotas se tornavam mulheres e suas famílias não tinham dinheiro para comprar sequer um pombo em comemoração, e ela aqui tinha recebido uma grande ave inteira e estava se comportando como se fosse dona do mundo. Ezebona, a menina dos olhos de Okonkwo e sua esposa mais jovem, disse para Aku-nna cuidar os modos, ou as pessoas pensariam que ela era mimada. Ela falou dando uma risadinha, uma risadinha de uma mulher que não apenas estava apaixonada pelo marido, mas que também tinha certeza do afeto dele por ela. As outras, Ozubu,

Ma Blackie, e seus filhos olharam para ela com tanto ódio que ela se viu forçada a assumir uma expressão séria e preocupada.

A festa fora da cabana de Ma Blackie durou até a lua brilhar. Todos na família de Okonkwo estavam animados e felizes. Até mesmo sua rabugenta primeira esposa se contentou com a perna da galinha que Ma Blackie enviou para ela, delicadamente enrolada em folhas de bananeira. As crianças se colocaram em círculo e começaram a contar histórias. Dava para ouvir alguns meninos e meninas jovens chamando uns aos outros para os jogos à luz do luar, e outros gritavam e riam enquanto brincavam de esconde-esconde entre as muitas imponentes árvores egbo e coqueiros. Os meninos mais velhos, rapazes prestes a casarem e se aquietarem, vestiram suas camisetas, amarraram suas lappas longas ao redor da cintura e saíram em busca de companheiras para passar a noite. Ma Blackie e suas amigas sentaram por ali, rememorando como tinha sido o dia em que elas se tornaram mulheres.

Aku-nna já sabia que, independentemente da dor, esperava-se que ela se levantasse e recebesse os rapazes que certamente viriam visitá-la. Pela primeira vez na vida, ela se viu de fato fazendo algum esforço para ficar apresentável. Ela engoliu dois dos comprimidos que Chike insistira que ela comprasse na última vez que estiveram juntos em Asaba; eles aliviavam a dor, e ela acreditava que o efeito duraria pela noite. Ela mal tivera tempo de se trocar e vestir a lappa de domingo que sua mãe lhe dissera para usar, quando ouviu um estridente cumprimento do outro lado da porta. Ela pôde ouvir a voz masculina do seu primeiro visitante. Era o garoto Okoboshi. Ele perguntou se podia entrar e Aku-nna respondeu de dentro da cabana que ele deveria e que ela estaria com ele num minuto.

Ela ficou em dúvida se deveria usar uma blusa e finalmente decidiu vestir alguma, apesar de estar tão calor. Era melhor sofrer com o calor do que permitir que aquele menino idiota ficasse encarando seus seios e talvez a machucasse brincando com eles. Ela escolheu uma blusa rosa. Ela mesma tinha comprado e todos a elogiavam quando a vestia. Ela usava só de vez em quando, mas essa noite alguma coisa lhe dizia que ela deveria pôr uma blusa;

afinal, ela tinha umas quatro blusas boas, então por que não usar uma delas em casa, em vez de esperar o casamento para começar a se cobrir? Ela sabia que, bastava que autorizassem seu relacionamento com Chike, e ela manteria seu corpo escondido para que somente ele pudesse olhar para ela se quisesse. Seu coração sofria e lágrimas começaram a empoçar nos olhos novamente, dessa vez porque parecia que ela seria amarrada num casamento que não podia evitar. Deus, por favor, me mate em vez disso, ela rezou, não deixe isso acontecer comigo. Sua cabeça pedia por Chike, e também seu corpo. Houve um novo conjunto de saudações lá fora e ela ficou feliz, pois, embora soubesse que não era Chike, isso lhe dava uma desculpa para fugir das brincadeiras brutas de Okoboshi.

Ela saiu e ofereceu aos rapazes algumas frutas nmimi. Logo, mais dois ou três homens chegaram, e foi então que ela parou de se importar. Ela não tinha como saber qual deles ganharia a aprovação de seu tio. Cada um deles lhe deu pequenos presentes, que ela foi forçada a aceitar. Eles trocavam olhares de humilhação e desconfiança, enquanto ela estava lá sentada, ouvindo, mas sem dar bola para suas ostentações vazias.

Por que Chike não viera? Eles não tinham como impedir que ele viesse, certo? Afinal, ele seria apenas um visitante, como todos esses rapazes. Será que as fofoqueiras ali fora o fariam ir embora de vergonha? Seria para isso que elas se sentavam ali, fingindo estar falando da sua inocência perdida, quando, na verdade, o que faziam era mantê-la aprisionada? Mas certamente ainda permitiriam que ela desse aulas, certamente sua mãe permitiria isso. Ela ainda nem sabia o resultado das provas, como poderiam deixar que todo o esforço dela fosse desperdiçado? Lágrimas frustradas corriam agora e Aku-nna se sentiu grata que o lampião de óleo de palma da mãe era fraco e fumacento.

Azuka, o filho de Nwanze de Umuidi, a estava observando bem de perto. Ele perguntou se ela estava com dor de cabeça, mas ela negou. Os outros pararam de conversar por um momento, sentindo que ela estava infeliz. Todos sabiam sobre Chike, mas, se havia algo que um homem de Ibuza faria por outro homem, era salvá--lo de qualquer coisa abominável. Essa garota não era excepcionalmente bonita. De fato, a não ser pela educação, não havia nada de extraordinariamente atraente nela. O que tinha um apelo para todos eles, apesar deles não perceberem na época, era seu delicado desamparo; ela morreria antes de bater no marido com um pilão caso ele batesse nela antes. Ela só dava sua opinião quando era necessário, nunca antes disso. Cada um a seu modo, todos a amavam em seus corações e pensavam que as lágrimas que ela derramava por Chike eram resultado de uma paixonite que ela superaria antes mesmo do nascimento de seu primeiro filho. Pois que pessoa em sã consciência sequer consideraria passar a vida com um escravo?

Ela pôde ouvir a mãe cumprimentando mais alguém, dizendo que logo teria que mandar todos embora, pois precisava dormir. O silêncio nada natural que se instalou do lado de fora lhe informou quem era o novo visitante. Os jovens pretendentes também adivinharam, ainda antes que Chike entrasse e os cumprimentasse. Azuka foi o único a responder; os outros continuaram falando como se ninguém tivesse se dirigido a eles.

Aku-nna procurou até encontrar os olhos dele na luz fraca; ele parecia abatido.

Ela deixou espaço para ele no tapete onde estava sentada, mas, antes que ele tivesse a chance de sentar, Okoboshi veio primeiro, arrastando o pé manco, que era resultado de uma picada de cobra de quando ele era criança.

"Eu gostaria de me sentar aqui", ele disse para Aku-nna.

Ela abriu a boca e logo a fechou. Viu Chike cerrando e soltando os punhos e sua reação impensada foi correr até ele e abraçá-lo firme, suplicando que ele não brigasse. Ela temia o que podia acontecer, com todos os outros cinco contra ele.

"Por favor, deixe eles em paz, por favor", ela chorava alto, como se o coração fosse se rasgar.

Para os outros meninos, aquilo era quase entretenimento. Eles começaram a rir e a diversão aumentou quando Okoboshi disse:

"Imagine o filho de um homem livre não poder se sentar onde quer só porque os europeus vieram infestar nossa terra. Nos velhos tempos, você teria sido usado para enterrar o filho que essa garota vai me dar quando eu me casar com ela".

O riso que acompanhou o último comentário foi menos animado. Como Okoboshi estava tão confiante de que seria ele quem casaria com Aku-nna? Se os outros acharam que sua declaração foi bastante arrogante, eles esconderam nos seus corações, pois estavam enfrentando um inimigo comum, Chike, o filho de um escravo.

O filho de Chigboe se levantou e puxou Aku-nna para longe de Chike, dizendo: "Pare de chorar, você pode morrer por chorar tanto assim, sabia".

Então ele continuou, para ela: "Sente onde quiser, Okoboshi só estava brincando".

Ela obedeceu em silêncio e sentou no canto mais afastado da sala, muito perto da porta que levava para o aposento interno da sua mãe. Chike se recusou a sentar e ficou de pé em frente à porta, ainda perturbado pela raiva que era obrigado a reprimir.

Okoboshi queria que ele saísse da cabana e sabia o que tinha que fazer. Sem aviso, Okoboshi caminhou até Aku-nna e a puxou bruscamente por trás dos ombros; ele agarrou os dois seios dela e começou a apertar até machucar. De uma vez só, todo o autocontrole que Chike tinha aprendido após anos passados com os missionários desapareceu. Ele acertou Okoboshi com um golpe pela frente. Ele bateu de novo e de novo, esperando que os outros rivais viessem brigar com ele em defesa do amigo, mas, para sua surpresa, ninguém veio.

Apenas Ma Blackie interveio, percebendo que fosse qual fosse o esporte que os meninos estavam praticando com sua filha dentro da cabana, era hora de fazer uma pausa. O grito que ela ouvira emanar da sua filha não era o de uma garota se divertindo com seus pretendentes, mas o grito de uma menina em sofrimento. Quando ela viu Okoboshi estirado no chão de barro, ela cobriu a boca para controlar um berro involuntário. Um filete de sangue estava escorrendo da boca dele, e os outros estavam observando perplexos, em dúvida sobre o que fazer. Ela ergueu Okoboshi e dirigiu ataques verbais a Chike:

"Se você quer provar que é um homem forte, por que não faz isso lá fora e com um homem que não seja coxo?".

"Mãe", Aku-nna suplicou, "por favor, não diga nada. Okoboshi estava me machucando, ele estava mesmo, Mãe, veja minha blusa nova! Ele a rasgou de tão bruto que foi. Ele estava possuído, ai, Mãe, por favor, me ouça".

Ma Blackie dispensou os apelos dela. "Quer dizer que você tem seios bonitos, mas não quer que os homens toquem neles? Meninas como você acabam tendo filhos na casa do pai, porque não conseguem suportar um divertimento à vista de todos, então elas vão a lugares escondidos e acabam desvirginadas. É esse o tipo de pessoa que você está se tornando? Eu te mato se você trouxer vergonha e desonra pra nós. Como ele poderia machucar você com todos os outros olhando? E você ainda permite que um simples..."

Ela não terminou a frase, pois, naquele momento, Ozubu entrou para perguntar por que Ma Blackie estava falando tão alto — ela não deveria gritar tanto no estado em que se encontrava. Ozubu quis saber qual era o problema e ouviu a história toda, agora com detalhes exagerados. O resumo era que Aku-nna não aceitava ninguém perto dela, exceto o filho de um escravo. Ma Blackie chorou e maldisse seu destino de ser atrelada a uma filha como essa. Alguém já tinha visto um azar como o dela? Ela tinha que ir fazer sacrifícios para o seu chi, seu deus pessoal, para mudar a sua sorte. Alguém já tinha visto uma garota como a sua filha, que era desejada por tantas boas famílias, mas preferia escolher um simples...

Aku-nna concluiu que, se a mãe estava ficando louca, havia um pouco de lucidez na sua loucura. Ela percebeu que a mãe não tinha conseguido dizer a palavra "escravo"; a consciência dela não permitia. Se alguém tinha se esforçado para fazer a estada delas em Ibuza confortável, essa pessoa era Chike. Todas aquelas bebidas e latas de leite que elas andavam tomando não tinham vindo do dinheiro do seu pai. A mãe dela sabia que era Chike quem as comprava; ela não tinha precisado persuadir a mãe de que era correto aceitar a ajuda de Chike, ele tinha insistido que, na sua dieta diária, como na da maioria das pessoas que viviam na cidade, faltavam nutrientes adequados. Aku-nna lembrava bem como ele explicara que ela precisava ainda mais, já que tinha que queimar uma grande quantidade de energia emocional antes das provas. A mãe dela sabia disso tudo. A única parte que ela não sabia era o hábito deles de jogar as bananas-da-terra no Rio Níger. O que mais intrigava Aku-nna era que agora ali estava essa mesma mãe, posicionando-se para dizer a essas pessoas que Chike não seria o homem para sua filha.

A amargura que Aku-nna estava sentindo tinha ultrapassado as lágrimas. Ela tinha ouvido muitas vezes que a mãe de uma pessoa era sua melhor amiga, mas ela estava começando a duvidar. Teria a mãe dela a encorajado a aceitar a amizade de Chike só para usá-lo como uma ferramenta conveniente, para ajudá-las a atravessar um difícil período de adaptação? Será que ela sabia desde sempre e nunca teve dúvidas de que não permitiriam que eles se casassem? Ou ela realmente acreditava que os costumes tinham afrouxado em tal medida que sua gente não se importaria? Aku-nna examinou de novo a sua mãe, que agora estava chorando dramaticamente, e se perguntou se ela estava chorando pela desgraça da sua família ser associada ao filho de um escravo derrubando ao chão o filho de um homem livre, ou se porque o primeiro, talvez único amor da filha, estava sendo estraçalhado e roubado dela. Ela sabia que Ma Blackie gostava de Chike; ela os tinha visto sentados conversando por horas quando ele vinha visitar enquanto ela estava atarantada preparando a refeição da noite. Ora, que tipo de costume selvagem era esse, capaz de ser tão desalmado e deixar tantas pessoas infelizes?

Aku-nna não sabia como isso tinha acontecido, mas, quando ela se deu conta, estava de pé ao lado de Chike. Seus dedos não chegavam a se tocar, mas a proximidade bastou para lhe dar forças. Amigos e vizinhos confortavam a mãe dela, tentando convencê-la de que Aku-nna estava apenas apaixonada; que ela mudaria e pensaria mais na própria mãe quando ficasse mais velha. A primeira esposa de Okonkwo, que era mãe de Ogugua, enfatizou que aquele deveria ter sido o dia mais feliz para Aku-nna, e agora isso tinha acontecido. Ela pediu a Okoboshi que encarasse o insulto como um homem.

"Imagine", ela pediu, "daqui a alguns anos, ela se torna sua esposa, você não vai sempre lembrar desse dia e rir dele?". Então ela disse a Ma Blackie para deixar de ser tola, pois ela também estava começando a duvidar daquelas lágrimas, e a lembrou de sua condição, do bebê que ela estava carregando.

Essa foi outra surpresa para Aku-nna. Quer dizer que a mãe dela estava grávida. Ela então entendeu que nunca a deixariam dar aulas antes de ser mandada para um casamento. O preço de noiva dela seria necessário muito em breve para sustentar sua mãe durante o período de confinamento. Ela sabia que Ma Blackie deixaria Okonkwo decidir, agora que ele tinha realizado o sonho dela de ser mãe mais uma vez. Era surpreendente que o tio Okonkwo não tinha dado as caras ao longo de todas as brigas e discussões, pensou Aku-nna, mas ela descobriu depois que o motivo era que ele julgava indigna a ideia de se dispor a brigar com o filho de um escravo, e só porque uma das suas tolas esposas tinha permitido que ele entrasse na cabana.

Os rapazes tiveram que ir embora com o passar da noite. Nenhuma adversidade ocorreu nos dias seguintes. Foram dias tão normais e sossegados que, às vezes, Aku-nna se perguntava se tinha imaginado o rebuliço da noite em que ela oficialmente se tornou uma mulher.

A quinta noite foi quente e sem lua. A menstruação de Aku-nna tinha acabado. Ela sentia-se feliz e livre, especialmente depois de um bom banho completo no riacho, pois ela estava proibida de ir lá antes, e também de ir a Asaba. Pelos quatro dias anteriores, ela tivera que se contentar com meio balde de água por dia, o que deveria bastar, mas nunca era o suficiente. Havia tantas partes sujas nela que ela teria gostado de lavar, mas ela se sentia limitada, então fez um acordo consigo mesma, decidindo que ia esperar para lavar todas elas no primeiro dia em que pudesse ir ao riacho.

Foi com uma sensação de leveza e limpeza que ela respondeu ao assobio de Obiajulu chamando-a para irem ao ensaio de dança, pois suas amigas e companheiras de grupo etário sabiam que ela agora teria permissão para entrar na cabana de dança. Elas levaram um lampião de parafina com elas, um dos presentes de Chike (caso contrário, elas teriam ateado fogo a um pedaço de madeira), e, no caminho, Ogugua e Obiageli se juntaram a elas.

Assim que chegaram ao quadrado arenoso chamado otinpu, que significa "lugar de choro", elas viram outro lampião de parafina se aproximando. Era Chike, e ele as reconheceu primeiro.

Sem reservas, todas o cumprimentaram. Ele tocou no rosto de Aku-nna e comentou que ela parecia feliz.

"Tenho boas notícias pra você, mas eu não deveria revelar nada até amanhã. Acho que não seria sábio eu contar agora, ou a sua cabeça não vai se dedicar à dança, e isso irritaria seu instrutor de dança, Zik".

As vozes das garotas insistiram que ele contasse o que era. Elas prometeram se concentrar na dança. Se a notícia era um segredo, elas não contariam a ninguém. Então que, por favor, ele contasse.

Chike pareceu indefeso diante das súplicas delas. Quanto a Aku-nna, ele podia sentir o coração dela batendo rápido. Ela não estava no burburinho com as amigas, e os olhos dela estavam ocupados sondando os dele, um feito que ela não teria alcançado se estivessem à luz do dia.

"Tudo bem, me deixem em paz e eu conto tudo", ele disse, livrando-se das meninas risonhas. "É apenas isso: a amiga de vocês Aku-nna passou nas provas. Ela agora pode ser uma professora, se quiser".

A notícia foi recebida com gritos de alegria. Obiajulu disse que tinha certeza de que Aku-nna seria um sucesso; ela tinha visto num sonho, declarou. Ninguém a contradisse, pois o sonho não tinha se realizado? Aku-nna não tinha passado na prova? Elas começaram a questionar Chike sobre as sinas dos meninos que conheciam. Souberam que Okoboshi fora reprovado.

"Bem feito. Ele nunca estudava, só andava por aí sendo mimado pela mãe, tudo porque é levemente manco".

"Não diga coisas assim", Obiageli aconselhou ponderadamente, pois a mãe de Okoboshi e sua mãe eram da mesma casa familiar em Ogbewele. "Você soa como uma velha bruxa cheia de rancor. Ele é o mais velho de toda a família, o único filho da sua mãe. É inevitável que os pais o mimem. Ele não é um mau rapaz, de verdade".

As outras garotas tiveram que concordar que não havia nada de tão ruim a respeito de Okoboshi, apenas que ele tinha sido criado para acreditar que o mundo inteiro era seu por direito.

"Tenho que ir agora", Chike disse. "Posso ouvir a voz de Ngozi, a solista. A dança já começou". Ele tocou novamente no rosto de Aku-nna, sorriu e disse: "Parabéns. Eu vou visitar você amanhã e discutir o plano de ensino com a sua mãe".

Ele acenou um último adeus e desapareceu na densa noite negra, o lampião feito um halo brilhante, como a luz dos três reis magos de antigamente. Uma ou duas garotas suspiraram; Chike era um daqueles homens que as mulheres sempre sentiam vontade de cuidar e proteger, mesmo que eles fossem assassinos, ladrões ou até mesmo filhos de escravos.

Elas voltaram a tagarelar, agora mais alegres, mas sabiam onde parar. Obiageli, Obiajulu, Ogugua e as outras podiam falar dos seus planos de casamento. O preço de noiva de Obiajulu já tinha sido pago; o chefe que ia se casar com ela só tivera que pagar o valor mínimo, vinte e cinco libras, pois, conforme ela se vangloriava, a família dela estava bem de vida. Seu pai, que também era um chefe, nem queria o dinheiro, mas teve que aceitar como algo simbólico, ou o futuro marido dela poderia não valorizá-la.

"Pois meu pai não quer ser um deus", ela exclamou, "ele está perfeitamente satisfeito como chefe. Ele construiu uma casa com telhado de zinco. Ele tem boas cabanas para todas as esposas. Ele não precisa pedir muito dinheiro pelas filhas".

As garotas sabiam que isso era verdade. O pai de Obiajulu, apesar de ter suas esposas e um quintal repleto de crianças, era tão bom nas fazendas que tinha merecido o título de "Diji", que significa bom agricultor de inhame. O problema com aquela família, entretanto, era que as garotas não eram notórias beldades, pois o pai delas era um homem muito baixo, e, ainda assim, elas tinham a língua afiada. Muitos dos maridos dessas garotas de Diji, temerosos de bater nas suas esposas megeras, mandavam elas de volta ao pai. Os boatos diziam que elas se gabavam tanto das conquistas do pai que os novos maridos acabavam se achando inadequados. Ma Blackie tinha alertado Aku-nna quanto a isso, incutindo nela a crença de que nenhuma mulher deveria levar as glórias do pai para a casa do marido. Assim que uma boa mulher se casasse, ela deveria aprender a se jubilar dos feitos do marido, por menores que eles parecessem em comparação aos do pai.

Elas chegaram atrasadas para a dança e Zik não estava no melhor dos humores. Ele rapidamente ordenou que elas amarrassem os pequenos sinos nos tornozelos e disse a Aku-nna que trocasse a lappa com estampa de peixe pela saia curta de ráfia que ela usaria na dança. Ela ficou com a blusa de náilon, pois ainda não tinha comprado as contas que usaria sobre o peito. As outras tomaram seus lugares e Aku-nna precisou fazer a parte das saudações várias vezes até acertar. Ela ficou muito animada com o resultado da prova, assim como as amigas, apesar delas não poderem ainda contar as boas novas a Zik, já que ele continuava um pouco brabo com elas por terem se atrasado. O humor dele não melhorou com os erros que elas estavam cometendo nos passos.

"Parece até que vocês todas venderam as pernas, ou que elas passaram a noite sendo lambidas por ratos, pelo jeito tão desastrado que vocês pulam, como velhas senhoras. Quando vocês pousarem no chão, usem os dedos. Eles não vão quebrar", ele gritava, sacudindo o chicote inquieto no ar em busca de uma infratora.

Aku-nna se saiu bem em uma das suas músicas e pousou com tanta leveza e graça que finalmente Zik as recompensou com seu sorriso vitorioso. Aku-nna ainda se equilibrava sobre os dedos, respirando rápido, os olhos acesos de prazer com os elogios de Zik, quando os lampiões de óleo que iluminavam a sala foram todos derrubados por alguma força.

Passos pesados baquearam o chão da cabana e havia vozes estranhas, vozes de homens, espalhadas em ameaçadores tons de urgência. A súbita escuridão e a anormalidade de toda a situação atordoaram as garotas, que ficaram num silêncio confuso e chocado. Então, tão subitamente quanto o silêncio tinha se abatido, todas as garotas começaram a dar gritos e berros de um lado a outro da cabana. Os gritos ficavam mais intensos quando alguma delas tentava chegar à porta e percebia que ela era mantida fechada por uma mão poderosa. Houve mais baques de passos, lutas e empurrões e, enquanto Aku-nna tentava se localizar em meio à bagunça, um musculoso par de braços a agarrou pela cintura.

"Ela está aqui!", ela ouviu uma voz anunciar. "Vamos embora!".

Ela não podia gritar, pois sua boca estava coberta pela áspera mão de um agricultor. Era obviamente a mão de um experiente sequestrador, pois ele deixou o nariz dela livre para respirar. Os pensamentos dela se perderam. O pandemônio ao redor dela continuava enquanto seus captores se dirigiam à porta. Ela podia ouvir garotas guinchando fora da cabana e algumas que provavelmente tinham tropeçado em alguma coisa no breu total estavam fazendo sons de miados como gatos feridos. Ela podia ouvir a voz de Zik, trovejante e furiosa como a de um búfalo feroz enquanto ela era carregada sobre os ombros de homens desconhecidos e corpulentos que trotavam como cavalos de patas aladas.

O que uma garota podia fazer numa situação dessas? Não havia sentido em lutar. Havia pelo menos doze desses homens, todos correndo, correndo ofegantes. Então esse era o fim dos seus sonhos. Depois de tudo, ela não passava de uma garota nativa comum sequestrada para ser noiva.

Essa percepção foi tão dolorosa, e os homens que a carregavam se moviam tão velozmente, passando ela de um ombro para o outro, que uma espécie de tontura dominou Aku-nna. A natureza tem seus meios de proteção: quando uma dor se torna grande demais para suportar, perde-se a consciência. Foi isso que aconteceu com ela. Quando ela chegou à sua nova casa em Umueze, Aku-nna era uma noiva desmaiada precisando ser reanimada.

FUGA

Não havia necessidade de Chike se apressar para chegar em casa agora que ele tinha dado a Aku-nna a boa notícia do seu sucesso. Ele riu sozinho pensando na surpresa que ficou estampada na cara dela quando soube. Ele estava aliviado e muito feliz por ela. Pelo menos isso facilitaria as coisas para eles dois. Ele precisava garantir que ela conseguiria a vaga de professora que ela queria tanto; isso seria de grande ajuda para a família dela. Não haveria motivo para pressioná-la para que se casasse aos dezesseis. Daria tempo a ele, também, para se decidir entre trabalhar na companhia petrolífera em Ughelli ou ir à universidade em Ibadan, como seu pai tinha sugerido. O pai dele também tinha prometido conversar com Okonkwo sobre Aku-nna, mas não parecia ter pressa. Talvez ele também estivesse esperando pelo resultado das provas e, conhecendo bem seu pai, Chike desconfiava que um dos motivos para que o pai estivesse tão despreocupado com tudo era que ele considerava Aku-nna jovem demais, tanto em idade quanto em educação. Bastava que Okonkwo concordasse, que ele pensasse no bem da garota em vez de no seu orgulho pessoal, e a família Ofulue pagaria de bom grado uma bolsa cheia de dinheiro pelo seu preço de noiva — uma bolsa de dinheiro era apenas o equivalente a cem libras esterlinas, o que, para a família dele, não era quase nada. Ele precisava logo contar a novidade ao pai. Que noite feia, Chike observou. Em noites assim, dava quase para acreditar que Deus era humano e hoje Ele estava triste: lúgubre e taciturno, a julgar pelo céu escuro. Não havia sombra alguma e as árvores imensas pareciam se amontoar para cima dele com alguma condenação maligna. Era em noites assim que as pessoas morriam picadas por cobras que se assustavam com a espessura da noite e picavam em autodefesa. Ele parou de repente. Sentiu que alguém estava chamando seu nome; mas, quando levantou o lampião, não viu nada além das árvores de aparência maligna com os galhos atarracados. Ele sentiu um calafrio e teria saído correndo, mas o chamado veio uma vez mais. Dessa vez a voz soou clara: a voz de Aku-nna. Mas isso não era possível; não fazia muito que ele a tinha deixado com as amigas a caminho do ensaio na cabana de dança. Não, a mente dele estava pregando peças. A mãe dele havia dito muitas vezes que ele nunca deveria pegar esse atalho para a aldeia de Aku-nna, pois esse mato era o lugar onde aqueles que tinham cometido pecados abomináveis eram jogados. Foi assim que a área ganhou o nome de "mato ruim". Ele caminhou mais rápido e as batidas do seu coração também aceleraram, ele não sabia por qual motivo.

Então ele escutou o barulho de um tiro. Foi seguido de outro, e outro, e outro. Isso era estranho, ele pensou. Ele não sabia de ninguém na aldeia que estivesse doente ou moribundo. Ele pensou mais, sentindo-se incomodado. Talvez uma morte houvesse ocorrido no estrangeiro e a família só foi informada agora.

Os tiros cessaram e ele passou a escutar seu nome. Ele podia ouvir uma fraca canção nupcial flutuando sobre o outro lado da aldeia, e ele teve que rir. Que tipo de garota escolheria uma noite como essa — sem lua, lúgubre e assombrosa — para ir à casa de seu marido? A parte mais engraçada era que ele não tinha ouvido falar nada sobre isso antes, ainda que isso pudesse ser explicado pelo fato de que ele passara o dia longe, em Onitcha, em reunião com o diretor para discutir os resultados das provas. Ele tinha se comportado de modo muito impaciente com suas irmãs quando voltou e talvez isso as tenha feito desistir de contar sobre a incomum noite nupcial; sem dúvida, Nneka, sua irmã mais nova, contaria tudo pela manhã.

Ele foi direto para a casa do pai para contar a notícia de que Aku-nna tinha passado na prova. O pai dele ficou feliz e disse que ele já tinha começado as conversas com Okonkwo.

"Quer dizer que ele não disse que não?", Chike perguntou, incrédulo.

O pai sorriu. "Ele não disse que não e ele não disse que sim. Você já viu alguém ganhar um peixe delicioso e apenas deixar na boca?".

"Não, pai, a pessoa precisa comer".

"Okonkwo precisará ser comprado. Ele quer ir a Udo para receber o título de Eze, e isso lhe custaria mais do que ele pode produzir nas suas terras em cinco anos. Nós vamos ter que dar para ele esse dinheiro. Mas isso significa que você terá que se casar jovem, e não gosto muito disso".

"Mas, Pai, ela ainda não tem dezesseis anos. Ela pode esperar por mim. Ela pode fazer um curso avançado de ensino, ou eu posso trabalhar na empresa petroleira em Ughelli: não me importa qual desses planos você vai aprovar. Tudo o que eu quero é que ela deixe aquela família. Ela está exposta a todo tipo de insulto".

"Foi o que ouvi. E que você chegou ao ponto de derrubar com um soco aquele aleijado".

"Ora, ele não é um aleijado. Ele foi extremamente irritante e ofensivo. Eu tinha que fazer ele parar".

Durante a pausa que se seguiu na conversa, houve mais tiros e os sons de canções e danças chegaram aos seus ouvidos. Não restavam dúvidas. Alguém muito perto deles, ou logo do outro lado de Umueze, estava se casando. O pai expressou em palavras os pensamentos de ambos:

"Quem se casaria com uma moça numa noite dessas? E, pelo jeito que eles estão disparando as armas, é de se pensar que a noiva foi sequestrada".

Chike encarou seu pai, mas a visão não ganhava foco. O pai dele era como a imagem de um homem se afogando num grande rio: uma hora se vê, na outra não. Chike não sabia o que estava acontecendo com ele. Estava prestes a desmaiar? Com certeza o pai dele ainda estava na sua frente, olhando para ele, falando com ele; mas tudo que ele podia enxergar era o contorno de um grande homem negro que ia e vinha. Ele se segurou nos apoios de braço da cadeira de couro. Ouviu a si mesmo perguntar ao seu pai, numa voz tão distante, tão rouca, que ele podia ter jurado que não vinha da própria garganta:

"Você disse que a noiva pode ter sido sequestrada?".

Então o velho homem compreendeu. Era nisso que Chike estava pensando, por isso ele estava tão estranho. Ele não conseguiu responder com palavras. Apenas balançou a cabeça, como se sua língua tivesse sido cortada pela raiz dentro da boca, como acontecia aos escravos de antigamente.

Chike cambaleou lentamente até a porta, como um pato carregando um ovo rompido. "Eu acho que a cantoria e os tiros vieram dos Obidis". Ele pausou, seus olhos percorreram as linhas do chão da casa do pai, como se ele nunca tivesse visto antes aqueles desenhos verdes. "Eu acho que eles sequestraram a garota com quem vou me casar, Pai. É isso que está fazendo eu me sentir mal".

Ofulue se aproximou e pousou uma mão forte, úmida de suor por nervosismo, sobre o ombro do filho. Chike se virou e chorou sem rastros de vergonha contra o peito do pai. Cada lágrima parecia golpear o velho como a ponta afiada de uma agulha quente.

Ogugua, Obiajulu e muitas das garotas correram aos gritos, disparando aterrorizadas para suas casas. Os pais se assustaram ao ouvir a história. Alguns homens tinham tapado o rosto, como os homens faziam no baile de máscaras do festival do inhame, e invadido a cabana de dança. Ninguém sabia o que estava acontecendo, mas do nada, todas as luzes tinham se apagado — e tinha ficado tão escuro que não dava para enxergar nem a si mesmo. E todas tinham corrido para casa assim que a porta da cabana fora aberta novamente, pois antes alguém a mantivera fechada. Sim, isso era outra coisa estranha; elas sempre deixavam a porta da cabana de dança aberta, mas elas tinham certeza de que alguém a tinha fechado de propósito. Não, elas não tinham se machucado, embora os homens tivessem criado um alvoroço.

Todos se perguntaram o que isso significava. A mãe de Ogugua estava certa de que os homens eram de um grupo rival que não queria que as garotas fizessem sua dança de apresentação. Obiajulu tinha dúvidas quanto a isso, pois os homens que a seguraram durante o turbilhão a tinham apalpado como se estivessem procurando por alguém em particular e a descartaram assim que constataram que ela não era a pessoa que eles queriam. Ela descreveu isso à sua mãe, enquanto Ngbeke, a esposa mais velha de Okonkwo, escutava, e a mãe lhe deu um tapa na boca, dizendo que uma boa mulher não narrava tudo o que vivia.

"Tem que cuidar essa língua, falando como um papagaio. Você esqueceu que está comprometida com um importante chefe? Você precisa aprender a ficar de boca fechada. Vocês estão todas seguras, então deixe esses homens misteriosos procurarem o que eles querem em outro lugar".

As mulheres mais velhas deixaram de lado o episódio da cabana de dança, sabendo que os homens iam averiguar. Zik certamente não era um homem que aceitaria uma afronta dessas sem revidar. Foi então que Ogugua contou a elas sobre o sucesso de Aku-nna e as mulheres esqueceram momentaneamente sua inveja mesquinha e gritaram de alegria. Elas estavam tão emocionadas que, de comum acordo, decidiram ir parabenizar Ma Blackie e Okonkwo.

Ngbeke levou um pedaço de madeira em chamas que ela sacudia de um lado a outro para iluminar o caminho até a cabana de Ma Blackie. Não ficava longe, apenas alguns metros de distância, mas a noite estava muito escura e elas tinham os nervos abalados pelo distúrbio na dança. Elas não queriam falar muito sobre isso, pois quanto mais se falasse no incidente, mais ele seria enfeitado de exageros e mais assustadas ficariam as meninas. Era um grupo feliz o que foi à casa de Ma Blackie para compartilhar de sua boa sorte.

Elas ficaram um pouco surpresas em ver que Ma Blackie já tinha ido dormir. De brincadeira, Ngbeke a chamou de preguiçosa por se retirar à cama tão cedo. Ela a advertiu, bem-humorada, que Okonkwo esperava que todas as suas esposas lhe dessem filhos saudáveis e fortes, não uma lesma que fosse dormir logo depois da refeição da noite.

"Foi um dia cansativo para mim", Ma Blackie se desculpou. "Me sinto tão fraca, até parece que nunca tive um filho antes. Fico até envergonhada de mim mesma. Por favor, entrem. Vou acender o lampião. Minha filha ainda está dançando e aquele meu menino preguiçoso nunca vem pra casa a não ser que esteja cansado, mas entrem".

"Onde você disse que Aku-nna está?", Ngbeke perguntou. A voz dela foi tão pungente que as mãos de Ma Blackie tremeram ao acender o lampião de óleo de palma.

"Ela foi pra dança". Então ela viu Ogugua e Obiajulu perto da porta. "Vocês também não foram? Eu achei que vocês tinham buscado ela".

Ngbeke não esperou mais conversa. Ela gritou chamando o marido.

"Okonkwo-oooo! Okonkwo-ooooo. Acorde, deixe a Ezebona em paz. Sequestraram a nossa filha. Acorde, onde quer que você esteja! Ai, meu Deus! Acordem, todos em Ibuza, acordem todos os mortos, tanto no céu quanto no inferno. A pior ofensa foi lançada sobre nós". Ela parou para respirar e ordenou que as meninas pegassem o gongo da família.

O gongo, com formato de sino, quando era golpeado na parte de trás com algum objeto de metal produzia um som alto e penetrante projetado para chamar a atenção das pessoas. Como esposa principal da família, e a mulher mais velha, era dever de Ngbeke fazer isso, para informar a toda Ibuza o que tinha acontecido com eles nessa noite tenebrosa. Ela já tinha atraído muitas famílias com seus anúncios desprovidos de gongo, mas com a chegada do gongo ela poderia ser ouvida até na aldeia próxima de Ogboli.

Ngbeke tirou a parte de cima de sua lappa e a colocou na cabeça, um sinal de que estava sofrendo, e ela estava mesmo. Em situações assim, as mulheres geralmente se uniam para chorar seus lamentos.

Agora estavam todas chorando, sabendo que Aku-nna tinha passado nas provas, lembrando de como era uma garota gentil e calada. Okonkwo começou a se culpar por ter permitido que ela participasse da dança do seu grupo etário, sabendo como era uma garota refinada e inteligente. Iloba e todos os outros filhos de Okonkwo juraram que iam sequestrar e cortar cachos dos cabelos de todas as garotas da família responsável por esse ultraje à meia-irmã.

"E a gente chegou a acreditar que eram todos civilizados agora, e que esse tipo de coisa não acontecia mais", Iloba disse pensativo.

Quanto a Ma Blackie, ela apenas sentou no sofá de barro para onde alguma gentil pessoa a tinha levado. A energia tinha se esvaído completamente dela. Sua filha, por quem ela tinha feito tantos sacrifícios pela educação, sequestrada? Uma garota que não conhecia nem metade dos costumes de Ibuza, sequestrada? A cabeça dela não conseguia entender.

Nna-nndo, que estivera chorando como todos os outros, parou e seguiu os garotos mais velhos na busca pela aldeia e pela família que tinha feito isso. As mulheres, lideradas por Ngbeke com o gongo, caminharam pela cidade gritando:

"Quem roubou a nossa filha? Que nos digam!". Gong, gong, gong, gong...

Mesmo fazendo tudo isso, elas sabiam que era inútil. Aku-nna estava perdida. Tudo que o homem responsável por isso tinha que fazer era cortar um cacho de seu cabelo — "isi nmo" — e ela pertenceria a ele para sempre. Ou ele poderia forçá-la a dormir com ele e, se ela recusasse, a gente dele ajudaria segurando-a para ele até que ela fosse desvirginada. E, uma vez que isso tivesse sido feito, ninguém mais ia querer ficar com ela. Era uma pena que eles não tivessem sabido ou adivinhado a tempo que isso ia acontecer; poderiam tê-la salvado, assim pensava a sua gente. Mas, fosse qual fosse a família que estava prendendo Aku-nna, ela estava demorando para informar isso oficialmente; provavelmente eles pretendiam garantir que ela não poderia ser levada de volta antes de anunciar seu paradeiro.

Ngbeke gritou até ficar rouca. Okonkwo vociferou e esbravejou até que decidiu se consolar com uma garrafa de Ogogolo, um tipo de gim local. Foi no meio da noite, quando a cidade inteira estava finalmente dormindo, que três membros masculinos da família Obidi vieram revelar a Okonkwo que sua enteada, Aku-nna, estava pacificamente deitada sobre o sofá de barro especialmente preparado para ela e o marido dela, Okoboshi.

Não havia nada que Okonkwo pudesse fazer. Eles trouxeram mais gim para apaziguar seus sentidos e um valor mínimo foi acordado como o preço de noiva por Aku-nna. Afinal, ela era como qualquer outra garota. Toda essa educação moderna não trazia nada de bom para mulher nenhuma; para dizer a verdade, a tornava orgulhosa demais. Mais bebidas foram servidas, e Okonkwo rezou, entre os pedaços de noz-de-cola espalhados pelo chão, para que Aku-nna lhes desse muitos filhos. Pela manhã, quando tinham combinado de se encontrar novamente, eles teriam descoberto se Aku-nna era uma garota decente ou uma daquelas que iam para o sofá do marido na noite do casamento já vazias. Okonkwo garantiu que a filha era tão intacta quanto uma flor fechada. Ninguém tinha tocado nela. O barril de vinho de palma que eles tinham que trazer deveria ser do melhor tipo e deveria estar cheio e borbulhando até a borda.

Eles se despediram como parentes razoavelmente felizes, enquanto as mulheres dormiam. Ma Blackie e seu jovem filho descansaram muito pouco. Nna-nndo tinha descoberto onde Aku-nna estava sendo mantida, pois, no meio de toda a confusão, ele tinha corrido para o único amigo que ele sabia que podia ter certeza de que jamais machucaria a irmã dele. Ele foi atrás de Chike, e entre os dois, eles rastrearam o canto e a dança até a família de Okoboshi. Chike tinha prometido que a tomaria de volta. Mas Ma Blackie e Nna-nndo se perguntavam como.

Aku-nna chegou à sua nova casa desfeita, semiconsciente e seminua. As mulheres da casa a receberam, elogiando a maciez do seu corpo. Ela não tinha uma cicatriz sequer e as mãos eram muito macias. Elas riram quando o Obidi mais velho jogou pó de giz, o símbolo da fertilidade, sobre os seios dela e rezou aos seus ancestrais para que Aku-nna os utilizasse para alimentar os muitos filhos que ela ia dar ao filho dele, Okoboshi. Eles a abanaram e assopraram nos seus ouvidos, mas ela continuava fraca e letárgica, então alguém sugeriu o gim local. Ele queimou a garganta de Aku-nna, fazendo-a tossir, e suas novas enfermeiras riram e lhe deram as boas-vindas à casa do seu marido.

A mãe de Okoboshi veio falar com ela, chamando-a de filha. Ela era uma mulher muito corpulenta, de pele clara como seu único filho, Okoboshi, para quem nada era bom demais ou excessivo. Ela ainda era bonita de um jeito plácido e contente. A voz dela era baixa e não tinha a inquietação nervosa que as mulheres na família de Aku-nna tinham. De fato, todas as mulheres nessa família pareciam contentes. Não eram muito ricas, mas havia uma certa soberba no ar, que demonstrava uma satisfação coletiva. Ela olhou para a boca da mulher que estava agora falando com ela.

"Não se preocupe. Nós vamos mandar uma mensagem para a sua mãe. Você está em boas mãos. Meu marido decidiu pegar você para nosso filho desse jeito porque nós vimos e ouvimos o que aquele rapaz escravo pretendia fazer com você. Nenhuma garota de uma família boa como a sua cogitaria casar com um escravo".

"Ah, não", disseram as outras mulheres em coro, sacudindo as cabeças. "Isso não se faz".

Elas continuaram dando a ela as boas-vindas e rezando para que ela lhes trouxesse muitos filhos e filhas. Uma das mulheres, muito jovem e com todas as características da mãe de Okoboshi, com a diferença de que era magra, apresentou-se como a cunhada de Aku-nna. Ela era casada e tinha dois bebês, mas tinha vindo à casa da família naquela tarde para as preparações para a chegada de Aku-nna. Ela garantiu a Aku-nna que o casamento era um estilo de vida agradável e relaxante para uma garota, especialmente se o marido estava cercado de parentes, como Okoboshi estava. Ela não deveria ficar tão assustada, pois não ia sofrer, de modo algum. Haveria apenas felicidade, o tempo todo. Em alguns meses, quando ela tivesse concebido o primeiro filho, ela se lembraria de tudo que estava escutando essa noite. A jovem mulher mostrou a Aku-nna uma pilha de lappas novas que tinham comprado para ela; de fato, já tinham amarrado uma ao redor da cintura dela para cobrir sua curta saia de ráfia de dança. E ela sorriu. Eles sorriam muito nessa família, Aku-nna percebeu.

Elas a levaram para um quarto onde o sofá de barro tinha sido pintado com muitas cores e, do outro lado, estava uma cama de madeira, coberta por um tecido otuogwo branco que tinha, nas bordas, uma estampa axadrezada em vermelho. No centro da cama estava uma toalha branca, feita no exterior, a julgar pela sua maciez. Esse seria um dos presentes que a mãe dela receberia de manhã, manchado com o sangue que ela perderia ao ser desvirginada. Aku-nna examinou tudo e estremeceu. As outras riram da careta no rosto dela e de novo garantiram que ela não sentiria dor e que Okoboshi tinha sido especificamente instruído a ser delicado com ela.

"Nunca se sabe", a cunhada confidenciou com um ar de experiência feminina, "você pode até acabar gostando de primeira".

De novo todas riram, muito felizes com a nova noiva. Mas a própria noiva não conseguia sorrir, nem falar, nem sequer olhar para elas por muito tempo.

Isso levou outra mulher jovem, uma parente, sem dúvida, a perguntar "será que você não gosta da gente?", e essa garota foi bruscamente empurrada, repreendida pela voz baixa que lembrava a de Okoboshi.

"Nenhuma garota gosta de ser sequestrada. Vá lá fora participar das danças".

Logo depois, a maioria delas foi embora, mas muitas pessoas ainda entraram para conhecer a nova esposa, cumprimentá-la e oferecer suas orações. Os homens do lado de fora seguiram bebendo e dando tiros por tanto tempo que Aku-nna ficou dura de sentar sobre o sofá de barro. Quanto à cama, só o cadáver dela se deitaria ali, ela disse a si mesma.

A irmã de Okoboshi trouxe um pouco de água e perguntou se ela gostaria de se lavar. Ela balançou a cabeça; mas ela gostaria, entretanto, de que lhe mostrassem onde ficava o banheiro das mulheres. A nova cunhada concordou em levá-la, avisando que ela não deveria tentar ser difícil, porque Okoboshi só precisaria pedir ajuda e todos aqueles homens embriagados entrariam e ajudariam a segurar as pernas dela abertas para que ele pudesse penetrar sem mais esforço. Os homens não seriam absolutamente culpados, porque era o costume deles e também porque Okoboshi tinha um pé ruim.

Aku-nna estava escutando com atenção, mas a cabeça dela estava tão atordoada que ela não conseguia reagir a nada do que a mulher dizia. Tudo que ela sabia era que se aquilo acontecesse, ela não sairia daquela casa viva pela manhã. Ela estava determinada a se matar durante a noite. Como faria isso, ela ainda não sabia. Mas ela não seria uma dócil companheira de cama para alguém que ela não amava e que nunca tinha lhe dirigido uma palavra de carinho em toda a sua vida.

Então ela ouviu o assobio. Sua mente paralisada reviveu. Era a única música com a qual Chike sempre a chamava. Era a mensagem deles e a sua música de amor. Não poderia ser ninguém além de Chike.

Brown skin gal, stay home and min' baby.
Brown skin gal, stay home and min' baby.
I'm going away in a sailing boat
And if I don't come back stay home and min' baby

O primeiro impulso dela foi correr na direção do assobio; mas, assim que o pensamento lhe ocorreu, ela se deu conta de que seria em vão. Ela precisava ganhar tempo, pensar direito. A irmã de Okoboshi a estava observando, parada de pé ao lado do portão que levava ao owele. O barulho das danças e da música e da algazarra dos homens no complexo de Obidi ainda podia ser ouvido, mas o único som ao qual Aku-nna prestava atenção era o assobio. Os acessos selvagens de alegria dos convivas eram para ela como os gritos de fantasmas queimando no inferno, mas eles podiam ser perigosos se ela tentasse escapar agora. Ela tinha um sentimento reconfortante de segurança em saber que ela estava sendo vigiada por Chike, e aquele momento fortaleceu sua determinação. Se ela conseguisse sair disso viva, não haveria nenhum outro homem para ela a não ser Chike, fosse escravo ou não.

Ela foi levada de volta para a cabana, uma prisioneira conduzida por uma guarda. Apenas uma vez ela virou a cabeça na direção do assobio e acenou um adeus para o ar, sem se incomodar com a ideia do que os outros poderiam interpretar, e então entrou de volta no quarto em silêncio. Lá dentro, ela se deixou cair sobre o sofá e encarou a parede, fechando os olhos com muita força. A nova cunhada estava falando de novo, tentando confortá-la, mas Aku-nna não respondia.

Ela deve ter dormido, pois quando abriu os olhos na luz baixa, foi com a percepção de que um par de olhos a estava examinando profundamente. Incomodada, ela se sentou, e os acontecimentos das últimas horas a tomaram de assalto. Raiva e desespero a dominaram, e sua boca podia sentir o amargor de tudo aquilo. Foi então que ela ergueu os olhos para o homem que estava na frente dela e viu que era Okoboshi. Ele estava em meio ao processo de se enrolar com uma grande lappa com estampa de conchas que Aku-nna nunca o tinha visto usar antes. Era tão volumosa e estava amarrada tão bem ao redor da cintura magra dele que escondia o seu pé deformado. Ele de fato parecia abastado e bonito de pé na frente dela, admirando-a com satisfação. Ele estava sorrindo, do mesmo jeito que a mãe dele, apesar de que a versão dele para aquele sorriso continha uma espécie de malícia; em vez de adornar o centro do seu rosto, o sorriso puxava um pouco para uma das suas orelhas. Era o sorriso de um jovem amargurado. Okoboshi ia ser cruel. Ele ia ser difícil. Ele a odiava, isso ela conseguia ver.

Um tipo de força a tomou, ela não sabia de onde. Ela só sabia que, pela primeira vez na vida, ela pretendia se defender, lutar por si mesma, por sua honra. Esse era o momento decisivo da sua existência. Nem sua mãe, nem seus parentes, nem mesmo Chike podia ajudá-la agora. Ela esperou, planejando que, se o pior acontecesse e ela tivesse que lutar fisicamente, ela atacaria o pé fraco dele. O olhar dela percorreu a lappa folgada até embaixo, enquanto ela tentava adivinhar qual era o membro coxo, o resultado do ferimento de infância de Okoboshi, que tinha curado mal e deixado uma cicatriz medonha rosada que ia do joelho até o tornozelo, e tinha deixado uma perna mais curta que a outra. Mas quando ele ficava imóvel, como agora, era impossível dizer que ele mancava. Ele seguiu o olhar dela e pareceu ler seus pensamentos, pois o sorriso dele se alargou até quase incluir todo o quarto que tinha sido tão artisticamente arrumado por parentes amáveis para o divertimento do noivo.

"Lamento que você não goste de mim. Por que é assim? É porque sou manco? O nosso filho não vai mancar, ele será perfeito. Então qual é o problema? Você deveria estar feliz", ele disse ainda sorrindo de modo sinistro, ainda parado como uma estátua. Ele tinha deixado a parte de cima do corpo nua, pois a noite sem lua estava muito quente e o fato de que eles estavam encerrados nesse pequeno quarto com janelas minúsculas não melhorava em nada a temperatura.

Que pele suave ele tinha, Aku-nna pensou com a cabeça longe. Em termos de qual seria uma resposta adequada para dizer, ela não sabia por onde nem como começar. Ela ficou sentada, imóvel e ereta, encarando discretamente as estampas de conchas na grande lappa dele, mas pronta para dar o bote. Ele chegou mais perto, e a cabeça dela subiu como a de uma cobra desconfiada.

Okoboshi riu ostensivamente diante disso, mas sua risada era alta demais para ser sincera. Ela pensou ter detectado uma nota de pânico naquele riso, mas estava longe de ter certeza; em todo caso, era uma risada vazia, a risada de um homem sem certezas. Ele mancou para longe e sentou sobre a cama de madeira, fazendo com que ela emitisse um ruído queixoso que soou assustador no meio daquela noite. Aku-nna suspirou; ele não ia usar força, graças a Deus.

Mas ela tinha se enganado. No minuto seguinte, ele estava em cima dela, puxando-a bruscamente pelo braço, torcendo o braço dela com tanta força que ela gritou de dor. Ele a jogou sobre a cama, ainda segurando no braço dela, que já começava a ficar dormente. Ela lembrou então que Okoboshi era um ótimo lutador, que gostava de atacar seus oponentes de surpresa; que Chike tivesse conseguido nocauteá-lo naquela noite foi apenas porque Okoboshi estava despreparado. Mas nessa noite ele estava pronto para Aku-nna. Quando ela o chutou no peito, ele devolveu um tapa fortíssimo, e ela pôde sentir o cheiro de gim no seu hálito. Ela sabia que não tinha como ganhar dele. O tapa tinha doído e a boca estava sangrando por dentro. Lágrimas desoladas corriam dos seus olhos quando ele se ajoelhou sobre ela, desamarrando a própria lappa com mãos trêmulas. O peito dele estava arfando, para cima e para baixo como um mar crispado. Se ela tinha esperança de encontrar piedade e compreensão, não seria com esse homem. Ele era amargo demais.

Então ela riu, como uma mulher louca. Talvez ela estivesse louca, porque, depois, quando ela lembrava do que tinha dito a Okoboshi na cama, ela sabia que a linha que separava a sanidade da loucura estava muito fina para ela. Então vieram as palavras, graves, palavras cruéis, ofensivas e nocivas até para ela mesma.

"Olhe só pra você", ela desdenhou, rindo com escárnio o tempo todo. "Olhe pra você, que vergonha, Okoboshi, filho de Obidi! Você diz que seu pai é um chefe, só se for chefe dos cachorros, é isso que ele é se o melhor que ele consegue roubar pro filho dele é uma garota que aprendeu o gosto dos homens com um escravo".

Okoboshi suspendeu um movimento a meio caminho, o tremor minguou e os joelhos plantados nos braços dela começaram a relaxar. Sim, ela viu o efeito das palavras dela e continuou, falando e rindo histericamente, sem nunca afastar os olhos do rosto dele.

"Sim, ele dormiu comigo muitas, muitas vezes. Você quer que eu conte quando começou? Vou contar. Aquela tarde, na escola, aquele dia em que você e os seus amigos me fizeram chorar. Sim, foi naquele dia. Se você lembrar bem, eu não voltei pra aula. Eu fui pra casa porque era muito dolorido sentar naquele banco duro. Sim, você soube dos nossos resultados? Eu passei. E você reprovou", ela provocou. "Então, mesmo que você me possua agora, essa toalha branca da sua mãe nunca vai ser abençoada com nenhum sangue meu. Eu já o derramei pra fazer outro bom homem feliz".

Okoboshi agora estava de pé. A boca dele estava escancarada, os olhos fixados nela, como se a cobra que o picara anos antes estivesse agora deitada naquela cama, pronta para dar o bote em todo o seu ser.

Aku-nna não abrandou, e insistiu, chegando onde queria. "Mesmo que você durma comigo hoje, como vai ter certeza de que o filho que posso carregar vai ser seu? Eu posso já estar esperando um filho dele e então você teria que ser pai de uma criança escrava. Que rebaixamento pra grande e poderosa família Obidi! Pois eu nunca vou deixar de contar ao meu filho a quem ele pertence".

"Mas você estava suja até dois dias atrás. Minha mãe me disse", Okoboshi contestou sem entusiasmo, com voz distante.

"Ah, sim, isso é verdade. Mas hoje eu passei na prova. E nós comemoramos o meu sucesso", ela disse rispidamente com o coração acelerado por saber que a gente dele provavelmente tinha passado o dia inteiro a vigiando. Ela esperava que Okoboshi não fizesse mais perguntas, ou ele poderia descobrir que ela estava inventando tudo. Ele tinha mais uma questão.

"Onde vocês celebraram o seu sucesso hoje?".

"Na casa dele, é claro. Vou lá com frequência".

Essa foi a última cartada. Por sorte, ele não pediu que ela descrevesse a casa de Chike, mas o que ele fez foi condená-la, amaldiçoá-la. Ele nunca poderia encostar nela na vida. Ela tinha trazido vergonha para todas as pessoas que tiveram o infortúnio de ter contato com ela. Ela não passava de uma vagabunda comum e merecia que escravos a chutassem e cuspissem nela, porque na sua última encarnação ela tinha sido uma escrava transportadora de água, que só servia para ser entregue aos gorilas para que eles dormissem com ela. Ela não era um ser humano, mas uma maldição sobre todos os seres humanos. Ele encheu a boca de uma saliva espumosa e cuspiu sobre o rosto dela entre o nariz e a boca. O cuspe pegajoso a enojou e ela quase vomitou, mas estava determinada a aguentar até o fim.

"Se você quer mesmo saber", Okoboshi concluiu, "eu não estava interessado em você. Meu pai queria você só pra se vingar do seu velho inimigo Ofulue, o pai do seu amante escravo. Então você não é virgem! Essa parte vai ser a mais divertida. Você vai continuar sendo minha esposa no papel, mas em alguns meses eu vou me casar com a garota que eu escolher, e você terá que trabalhar e fazer tudo que ela e minhas próximas esposas quiserem. Saia da minha cama, sua vadia de todo mundo!".

Depois disso, ele deu um soco no olho dela com tanta força que ela saiu cambaleando até o sofá de barro.

Ela não sabia quanto tempo havia ficado deitada ali inconsciente, mas foi acordada com o canto de um galo solitário. Quando tentou se levantar do sofá, seus pés amoleceram e ela caiu de novo; seu corpo estava tão duro e dolorido naquela manhã. Okoboshi ainda dormia o sono do justo noivo que caíra na armadilha de se casar com uma garota que ele não queria. Como nossas vidas seriam simples sem a interferência dos nossos pais, ela meditou enquanto tentava esfregar os pés teimosos para que voltassem a sentir alguma coisa. Ela sentou ali, olhando para o vazio, pensando em nada, atenta apenas ao amanhecer que se aproximava. Não se via muita coisa através da pequena janela sem persianas em uma das paredes, mas logo os ruídos humanos de quem acordava cedo chegaram até ela. Sem dúvida, algumas mulheres estavam indo para o riacho.

Okoboshi se revirou na cama de palha, olhou para ela sem expressão, recordando os eventos da noite anterior, e deu uma gargalhada.

"Hoje vai ser um dia cheio pra você, minha educada noiva. Saia e encontre uma calabaça pra levar ao riacho. As mulheres mais velhas vão perguntar o que aconteceu e você mesma terá que contar a sua história. Meu pai, eu e minha gente vamos até os seus pais com um barril de vinho de palma quase vazio e vamos apresentar a toalha limpa a sua mãe, já que não há nada dentro de você além de vergonha. Lamento que eu e a minha família tenhamos que fazer isso. Como eu gostaria que tivéssemos deixado você de lado. Depois de todos esses meses, eu trabalhando duro pra economizar pra pólvora, e minha mãe usando todo o seu lucro pra me comprar uma cama pra minha noiva. Os deuses nunca vão sorrir pra você. Saia daqui!".

Ele tentou empurrá-la de novo, mas Aku-nna já tinha aguentado o bastante. Ela correu para a sala externa, caindo quase nos braços da mãe de Okoboshi, que estava ali, no lento alvorecer, com os braços cruzados sobre o peito, o rosto sério. Ela cuspiu sobre Aku-nna e, sem palavras, apontou para as calabaças de água. Foi então que Aku-nna chorou. Curvando-se para pegar uma calabaça, ela sentiu os olhos da outra mulher sobre as costas dela. A irmã de Okoboshi, que tinha se materializado de algum lugar, disse:

"Mãe, você não tem alguma lappa velha que sirva pra uma amante de escravo? Eu preciso dessa aqui". Dizendo isso, ela agarrou a nova que Aku-nna tinha recebido na noite anterior e entregaram a ela uma velha desbotada que cheirava como uma lappa que tivesse sido usada para extrair óleo de sementes. "E pensar que o louco de Okonkwo estava pedindo vinte e cinco libras por ela! Não sei onde o mundo vai parar", a cunhada concluiu com repulsa.

"Ele vai ter sorte se pagarmos dez libras em dez anos. Ela é uma casca oca. O âmago dela foi usado para alimentar abutres. Vai andando, menina! A notícia das suas aventuras vai chegar à sua gente antes de você voltar do riacho".

Assim ela foi empurrada para fora. Havia garotas ansiosas para vê-la, algumas com pena, a maioria para zombar e repetir a descrição acusatória de que ela era uma casca oca.

"Por que você fez isso?", uma ou outra garota ousou perguntar. "Vai matar a sua mãe", disse outra.

Ela ouviu todas, mas de alguma forma a mente de Aku-nna estava caótica demais para saber o que pensar. Ela as seguiu até o riacho, mais para trás durante todo o caminho, escutando os comentários de deboche. Ela acompanhava como se fosse puxada mecanicamente, como um ser sem vontade própria. Foi já no riacho que ela percebeu a intensidade do espancamento que recebera da sua nova gente. A boca ardeu de dor quando a lavou com água fria. Ela sabia que os dois olhos deviam estar inchados, pois estava difícil erguer as pálpebras. A cabeça dela continuava girando como a de uma pessoa meio bêbada. Ela se permitiu derramar algumas lágrimas no riacho silencioso.

Seus novos parentes levaram séculos para se lavar e pegar água, e ela sabia que a demora era premeditada. Eles queriam que o maior número de pessoas possível a visse ali, para exibi-la a outras garotas mais novas que poderiam estar considerando aventuras parecidas. Ela pensou ter visto sua amiga Obiajulu, mas ela pareceu tão remota e estranha para Aku-nna que teria sido loucura chamar por ela. Mais tarde, ela se convenceu de que era Obiajulu, pois reconheceu a lappa com o desenho de penas que era uma das preferidas de Obiajulu, mas a amiga fingiu não vê-la, subiu com pressa a colina e desapareceu no caminho para casa. Então era nesse nível que ela tinha desonrado até as amigas.

Será que Chike também a rejeitaria nesse momento vergonhoso? Okoboshi não tinha se dado o trabalho de cortar um cacho do cabelo dela porque não valia a pena: ela podia fugir, se quisesse, mas para onde? O tio dela certamente a mataria assim que a visse, e ela não podia contar com a mãe, que não teria permissão para tomar nenhuma decisão. Mas se ela fosse forçada a viver com essas pessoas por muito tempo, ela logo morreria, pois essa era a intenção por trás de todos os tabus e costumes. Todo contraventor era melhor morto. Se ela tentasse se segurar à vida, ela seria gradualmente levada à morte por pressões psicológicas. E depois que morresse, as pessoas perguntariam: não avisamos? Ninguém contraria as leis da terra e se safa.

Ela subiu as colinas com as mulheres e elas passaram por muitas pessoas que estavam a caminho do campo ou do riacho. Aku--nna estava ficando com fome e cansada e a barriga dela pedia comida. Quando chegaram em casa, a mãe de Okoboshi a convocou para dentro da sua cabana e a colocou num quarto mais para dentro. Ela tinha sido abandonada, pois a notícia tinha circulado por Ibuza. Todos já sabiam que ela não era virgem, mas só os parentes próximos sabiam que era Chike quem supostamente tinha dormido com ela. Depois de um tempo, ela se cansou de esperar e caiu no sono. Muito depois, ela ouviu Okoboshi discutindo com sua mãe sobre Aku-nna. Ele queria que ela fosse ao campo buscar lenha, e a mãe dele pediu que tivesse um pouco de misericórdia pois a pobre garota já tinha sofrido o bastante.

"Então pode fazer dela sua empregada", ele disse ao sair pisando duro, "porque eu não quero ela como minha esposa".

"Sim, vou ficar com ela", a mãe disse atrás dele.

Depois de algum tempo, deram a Aku-nna um inhame assado e óleo de palma salgado. O inhame parecia apetitoso, mas tinha gosto de pau de mascar e, por mais que ela tentasse, não conseguia fazer com que o maxilar não doesse ao mastigar. Ela desistiu das tentativas e apenas agradeceu a sogra.

"Você não comeu nada", a mãe de Okoboshi disse horrorizada. "Você vai desmaiar de fome desse jeito".

"Obrigada", Aku-nna murmurou, olhando para longe rapidamente, desconfiada dessa súbita mudança de espírito na mulher que apenas umas horas antes tinha cuspido nela.

A mãe de Okoboshi olhou para ela com pena. "Sabe de uma coisa?", ela perguntou, com uma sombra do sorriso que tinha dirigido à nova noiva na noite anterior. "Você sabe o que a mamãe inseto disse aos seus filhotes?".

Aku-nna sacudiu a cabeça.

"Então vou te contar. A mamãe inseto disse aos filhotes que a água quente não fica quente por muito tempo; ela logo esfria. Então, coragem. Isso vai passar. Conheço mulheres felizmente casadas que começaram igual a você, com o pé errado". Ela pegou a cumbuca de cerâmica com o óleo de palma e o inhame e se afastou até a porta.

Aku-nna a ouviu recebendo alguém lá fora, chamando a pessoa de "enteadinho" e, ao esticar o pescoço para espiar, ela viu com surpresa que era seu irmão mais novo, Nna-nndo. Ele entrou, com cara de triste, e ela podia ver que ele estivera chorando. A visão dele mexeu com ela mais uma vez e ela lacrimejou em silêncio. Nna-nndo a observou, de olhos inchados, com a aparência de uma criança que não comia há dias, e tentou consolá-la.

"Não chore, irmã. Eu sei que tudo que eles disseram sobre você não é verdade. Eu queria que nosso pai não tivesse morrido. Nós ainda estaríamos em Lagos. Eu odeio aquele homem Okonkwo por ter se casado com nossa mãe. Odeio essa cidade, odeio o que estão fazendo com você. Mas, por favor, não chore. Chike me pediu pra te entregar isso. Nem tudo está perdido. Ele se importa com você, ele ainda se importa com a gente".

"Shh... não fale tão alto, eles podem estar escutando". Ela tomou a carta das mãos dele e leu com ansiedade. A mensagem de Chike era curta: ele ainda a amava; ela devia prestar atenção ao assobio dele depois que escurecesse, quando ela fosse ao owele no mato. Ela devia rasgar a carta imediatamente e entregar os pedaços para Nna-nndo ou jogá-los numa fogueira, se houvesse uma por perto. Não havia fogueira, então ela deu ao irmão os pedaços rasgados e foi bem a tempo, pois, no segundo seguinte, Okoboshi entrou com toda a sua arrogância. Ele lançou um olhar de desprezo para Aku-nna e foi complacente ao perguntar a Nna-nndo se estava tudo bem em casa. Ele continuou falando e comentou a lealdade dele com a irmã, depois dela ter tratado todos de modo tão vergonhoso.

Em Ibuza, todos sabiam que, no dia das relações de sangue, os amigos se iam, e alguma coisa dentro de Nna-nndo, apesar dele mal ter feito treze anos, lhe dizia que Aku-nna era o mais próximo que ele tinha de um parente vivo.

Ele retorquiu com raiva:

"Minha irmã não envergonhou ninguém. É tudo mentira, os boatos que você passou o dia espalhando para desonrar nossos nomes. Abre o olho. Se não controlar a sua língua, todas as suas irmãs vão ser tratadas do mesmo jeito. Seu ladrão de meninas! Seu aleijado! Você, que não tem a coragem de cortejar e competir pela garota que quer, aí tem que rastejar e sequestrar do jeito que um rato rouba comida!".

"Eu não quero a vadia da sua irmã. Quando eu for me casar com a garota que escolher, vou cortejá-la, e ela não vai ser uma coisa oca que fica de caso com escravos. E não estou mentindo, ela mesma disse. Não foi?", ele perguntou ameaçadoramente ao se aproximar de Aku-nna.

"Se você ousar tocar nela, eu te mato!", gritou Nna-nndo, agarrando uma banqueta feita à mão que pertencia à mãe de Okoboshi. Ela ouvira os gritos e entrou correndo. Ela tirou a banqueta de Nna-nndo e disse ao filho que fosse embora. Lágrimas de frustração escorriam pelas bochechas de Nna-nndo quando ele saiu a passos rápidos da cabana para voltar para casa.

Era outra noite escura e sem lua, e a mãe de Okoboshi informou Aku-nna que ela deveria passar a noite na cabana do filho. Aku-nna protestou, implorando para que a deixasse ficar apenas uma noite na cabana dela, mas a mulher mais velha não quis nem ouvir.

"Você deve continuar se aproximando dele, até que ele se acostume com você. Quem sabe, ele pode até te perdoar no futuro".

Aku-nna reprimiu a vontade de contar a verdade, de revelar que não havia nada para Okoboshi perdoar. O único pecado que ela tinha cometido era amar e querer outro homem. Mas ela não cedeu à tentação, lembrando que Chike tinha prometido em sua mensagem que assobiaria de novo para ela. Se pelo menos ela pudesse falar com ele, só por um minuto. A sogra dela começou a pressioná-la para que fosse e, quando a pressão ameaçou se tornar uma gritaria, Aku-nna rapidamente disse que ela tinha que ir antes ao owele para se aliviar e se arrumar.

"Sim, vá, e não volte aqui. Vá pra cabana do seu marido!".

Aku-nna caminhou infeliz até o owele, grata que ela pelo menos pôde ir sozinha, ao contrário da noite anterior, quando fora acompanhada pela cunhada. Pois Okoboshi não tinha admitido à sua gente que ele não tinha chegado a dormir com ela, ou eles teriam perguntado: "Então como você pode ter certeza de que ela não era virgem?". Se ele tivesse dito que acreditava no que a própria Aku-nna dizia, o pai dele teria percebido a mentira. Mas o orgulho não permitia que Okoboshi contasse toda a verdade; o cinismo e o escárnio na confissão de Aku-nna o tinham afetado profundamente. Mas, nessa noite, ele estava determinado a descobrir. Ele tinha dito à mãe que enviasse a garota para ele, pois ele tinha mudado de ideia; ele ia se virar com ela até que ele pudesse economizar e pagar o preço de noiva pela esposa de sua escolha.

Aku-nna sabia que ela tinha tido sorte na primeira noite. Ela estava preocupada, entretanto, por Chike. A família dele certamente teria escutado que ela não era virgem, mas os boatos em Ibuza eram sempre muito seletivos e não teria sido mencionado que ela tinha nomeado o filho deles como seu amante. Ela estava tão nervosa que, mais uma vez, não conseguiu comer o purê de inhame que tinham lhe dado como refeição da noite. Se a morte ia ser a saída mais fácil, ela não se importaria de morrer agora. O coração dela estava pesado de pressentimento quando ela ouviu o assobio de novo.

Os assobios continuavam e ela ficou imóvel ouvindo e procurando ao seu redor. Algumas poucas estrelas estavam aparecendo timidamente de trás de grossas nuvens escuras. Houve um movimento nos arbustos muito perto do owele e, antes que ela entendesse alguma coisa, estava sendo abraçada por Chike. Por um momento, ele pareceu soprar a vida para dentro dela, dando ao seu corpo exausto a energia que precisava. Então, tão de repente quanto ele a tinha abraçado, ele se afastou, e ela só conseguiu ouvir a voz baixa, urgente e insistente:

"Venha, minha menina, corra!".

Ela não perguntou para onde ele a estava levando nem quanto tempo levaria. A ordem dele foi para que ela corresse e foi o que ela fez, até que a exaustão a dominou e eles precisaram caminhar. Ele a fez colocar um par de sandálias que ele tirou da bolsa de viagem que ele levava nas costas, como Christian, no livro *O peregrino*. As sandálias não eram tudo — Aku-nna se perguntou por que ele tinha pensado nos sapatos antes do vestido; talvez a mente confusa dele o alertasse de que cobras andavam à espreita nas sombras de noites sem lua. Ele tirou o vestido da sacola quando eles estavam a poucas milhas de Ibuza e a ajudou a colocá-lo. Ela disse que não conseguia mais continuar; mas ele tinha comprado tudo, até comida, apesar de que ela não tinha fome, exaurida demais para comer.

A distância entre Ibuza e Asaba era de apenas sete milhas, mas eram necessárias quase quatro horas para ir caminhando. Quando eles chegaram à casa do motorista que os levaria até Ughelli pela manhã, Aku-nna enfim encontrou refúgio ao desmaiar completamente. Quando ela voltou à consciência, ela ainda estava no vestido florido e ainda nos braços de Chike.

PROVIDÊNCIA
TENTADORA

Ben Adegor tinha sido contemporâneo de Chike na Faculdade St. Thomas de Formação de Professores, em Ibuza, no final dos anos 40. Ao longo dos quatro anos que se passaram desde que eles tinham seguido caminhos diferentes ao final do curso, quando Adegor retornou para dar aulas em Ughelli, a cidade no Centro-Oeste da Nigéria onde ele tinha nascido, eles se corresponderam constantemente, e Chike, nas suas cartas, tinha escrito sobre seus sentimentos por Aku-nna e sobre as dúvidas quanto a continuar estudando. Adegor sugeriu que Chike concorresse à vaga na grande empresa petroleira em Ughelli, pois ele tinha os requisitos nas disciplinas nível "A"; ele ressaltou que Ughelli e as cidades vizinhas de Warri e Sapele tinham muito potencial para um homem jovem, o que era resultado das recentes boas perspectivas de descoberta de petróleo nas cercanias.

Chike tinha brincado muitas vezes com a ideia de ir para lá, mas nunca chegou a se decidir de vez, até ter a certeza de que passaria a vida com Aku-nna e mais ninguém. Ele tinha escrito para a empresa petroleira de antemão, para obter a garantia de uma entrevista; isso fora semanas antes, e ele ainda não tinha recebido um retorno definitivo. Pelo menos, sabia que podia contar com o compromisso de Adegor para conseguir uma vaga para Aku-nna na escola onde ele trabalhava. Ele também tinha dito a Chike que podia oferecer acomodação temporária para os dois na sua velha cabana, agora que ele tinha comprado uma casa nova, com teto de zinco, de um mercador igbo que, depois de ganhar pilhas de dinheiro entre os urrobos, estava voltando para a região leste a fim de começar um novo negócio com transportes. Esse era o tipo de empreitada que atraía muitos nigerianos conforme o país andava em direção ao autogoverno nos anos 50, e esse comerciante igbo, seu nome era senhor Chima, tinha conseguido comprar uma empresa estrangeira que estava saindo do país devido aos rumores de que a independência estava próxima. O senhor Chima vendeu sua casa em Ughelli para Adegor, que, devido ao casamento com sua delicada esposa, Rose, tinha decidido abandonar a cabana que ele tinha originalmente construído como lar para si mesmo. Era essa cabana, que, na verdade, era maior que muitas casas da região, que ele colocaria à disposição do amigo Chike. Foram essas esperanças e expectativas, unidas ao fato de que, como o filósofo Kant, ele acreditava na racionalidade básica e na bondade dos homens, que convenceram Chike a escolher Ughelli como a cidade onde ele faria de Aku-nna sua noiva.

Ben Adegor era um homem pequeno, muito escuro e atarracado. Ele era, por natureza, um debatedor, mas gostava muitíssimo de sorrir, e nunca se podia ganhar uma discussão com ele porque era do tipo que nunca desistia. Os urrobos, a tribo dele, tinham reputação de serem desordeiros, mas, por todo o tempo que Chike o conhecia, Adegor tinha se mostrado um homem de palavra. A sua jovem esposa também não era alta, apesar de que sua estrutura de ossos pequenos a fazia parecer mais alta do que seu robusto marido. Ela era uma professora iniciante na escola da Igreja da Sociedade Missionária de Ughelli, onde ele era diretor.

Chike tinha enviado uma mensagem por meio de um comerciante amigo do seu pai dizendo a Ben Adegor que a sorte o abandonara e que ele iria para lá, ao final das contas. Ele tinha escrito em desespero na mesma noite em que Aku-nna fora raptada. Ele disse a si mesmo que, não importava o que acontecesse, ele ia embora de Ibuza para sempre, e nunca lhe ocorreu o pensamento de que ele poderia ser forçado a deixar a cidade sem Aku-nna: era um pensamento impensável. No que dependesse dele, iria embora e levaria Aku-nna com ele, mesmo que ela tivesse sido casada com vinte Okoboshis.

Adegor e Rose, que não era muito mais velha que Aku-nna e estava grávida, esperaram por eles, e a alegria que sentiram ao ver os recém-chegados apenas um dia depois de receberem a mensagem foi tão transparente que Chike parou de se sentir culpado por aquele começo de mãos vazias. Ele demonstrou isso ao amigo, mas Adegor lhe deu um tapinha nas costas, afirmando que ele já tinha toda a riqueza de que precisava: Aku-nna.

A estada de Adegor em Ibuza tinha sido suficiente para ele saber dos riscos que Chike, com suas origens, estava correndo ao se casar com uma garota de lá. Ele prometeu que escutaria os detalhes mais tarde; por ora, ele e a esposa estavam ocupados em fazer os convidados se sentirem confortáveis. Eles os levaram à cabana de palha, que era maior do que qualquer cabana que Aku-nna já tinha visto em Ibuza; Chike explicou a ela que o amigo tinha originalmente planejado construir uma casa de verdade, na esperança de colocar o teto de zinco depois, mas tinha mudado de ideia quando surgiu a oportunidade de comprar a casa nova do comerciante.

A cabana estava vazia, com três cômodos grandes e arejados e uma área aberta nos fundos. Havia uma varanda igualmente arejada na frente. De cara, Aku-nna se apaixonou pela cabana de palha — toda essa vastidão, só para eles dois! Era um grande passo à frente em comparação com o apartamento de um cômodo no qual ela tinha sido criada durante a infância em Lagos; em relação à cabana cavernosa que ela e a família dividiam em Ibuza, era um palácio. Ela teve vontade de abrir os braços e sair cantando de quarto em quarto, mas se conteve e permitiu que a alegria se manifestasse no seu rosto.

"Não vou precisar arrumar o barro desse piso, é de cimento", ela comentou feliz. Os outros riram e concordaram que bater o chão de terra todas as manhãs era uma tarefa de matar.

Depois de emprestar algumas peças básicas de mobília, o casal Adegor foi embora. Chike e Aku-nna estavam deliciosamente felizes. Ele não conseguia parar de beijá-la, perguntando se ela se arrependia da mudança, pois ela sempre poderia retornar. Quando ela se deu conta de que Chike ainda não tinha total certeza dos sentimentos dela em relação a ele, Aku-nna venceu a própria timidez e atirou os braços ao redor do pescoço dele. Ela citou erroneamente o trecho do Velho Testamento da Bíblia que diz: "Aonde quer que tu fores irei eu; o teu povo será o meu povo, e teu Deus, o meu Deus". Isso o agradou e ele suspirou de contentamento, deslizando os lábios sobre a testa dela.

Para a decepção de Rose, eles não comeram muito, mas perguntaram onde ficavam o mercado e as lojas de Ughelli.

"Tem um pequeno mercado aqui, mas, se quiserem móveis e utensílios, terão que ir até Warri. Tem um ônibus que vai para Warri ou para Sapele saindo daqui".

Quando Rose foi embora, eles começaram a contar seu tesouro como se fossem criancinhas. O senhor Ofulue, pai de Chike, tinha incentivado o filho na fuga de casamento e tinha dado a soma total de cem libras para começarem a vida. Chike também tinha uma humilde poupança que ainda estava na agência de correio de Ibuza.

"Pode ser transferida para cá quando estivermos instalados", ele disse. "Mas todo esse dinheiro", Aku-nna se espantou. "Eu nunca vi tantas notas".

"Não esqueça que ele queria pagar meus anos de universidade".

"E você mudou os planos?".

"As universidades não desaparecem. Ela pode esperar por mim até quando eu estiver pronto. Por enquanto, estou ocupado demais para pensar na universidade". Ele riu com alegria. "Adivinha o que o Pai disse quando me entregou esse dinheiro? Só tente adivinhar".

"Que você não podia perdê-lo? Ele disse para gastar com sabedoria? Ah, sim, já sei: ele disse que você deveria pagar meu preço de noiva com ele". A seriedade com que Aku-nna disse a última parte o assustou.

Ela baixou os olhos e seus lábios tremiam.

Ele largou o maço de notas sobre a mesa e segurou os braços dela nos seus, dizendo que não se preocupasse, o pai dele pagaria o preço de noiva no momento certo. A família dele pagaria o dobro de qualquer quantia que Okonkwo pedisse. Ele a relembrou, entretanto, que as principais pessoas que deveriam se beneficiar do casamento eram a mãe e o irmão dela.

"Nna-nndo tem que vir morar conosco. Assim, podemos garantir que ele vai ter a educação que deveria estar recebendo. E precisamos encontrar uma maneira de enviar pequenos valores para a sua mãe, para que ela possa ser independente daquele homem".

"Oh, você fará tudo isso por mim? Eu vou servir você até a minha morte. Serei uma boa esposa para você. Vou sempre amar e amar você, nesse mundo e no próximo e no que vier depois até o fim dos tempos".

Ele riu alto. "Quem ouvir você falar assim pode pensar que você está se casando comigo por dinheiro".

"Ah, não, não por isso, mas por muitas outras coisas: a sua bondade, a sua compreensão e respeito com as pessoas, e o fato de que você também está sofrendo. Quer dizer, toda a sua família. Ah, eu não sei: quero me casar com você por muitos, muitos motivos que tenho no meu coração, ainda que não consiga listar todos eles. O seu dinheiro pode tornar a nossa vida, e a vida da minha família, confortável, mas vai ser apenas um conforto a mais, não a felicidade essencial".

Eles dormiram muito pouco, pois o motorista tinha saído cedo de Asaba e eles chegaram a Ughelli às nove da manhã, mas a agitação da fuga fez com que eles esquecessem o cansaço. Chike decidiu que ele iria ao mercado de Warri para pegar algumas das coisas que eles precisariam e Aku-nna disse que gostaria de ir com ele, apesar de estar começando a perceber como estava cansada.

"Meu pai nos deu esse dinheiro para comprar uma coisa muito especial. E é isso que vou comprar, e nós vamos inaugurá-la essa noite".

"E o que é isso? Me diga, já que não tenho como adivinhar".

"Se eu contar agora, você vai pensar que venho de uma família corrompida. Então você precisa esperar. Vá ficar com Rose, enquanto eu vou a Warri. Vou parar no escritório da Esso no caminho, para que eles saibam que agora estou aqui em Ughelli e que estou disponível para uma entrevista".

"Mas as pessoas não se vestem com suas melhores roupas para as entrevistas?".

"Sim. Eu só vou dizer que estou aqui. Tenho algumas camisas limpas na bolsa de viagem. Vou ter que me virar com elas até que minhas malas cheguem amanhã".

Aku-nna não gostou da ideia de ficar para trás, sem companhia além da esposa de Adegor.

"Mas você vai morrer de exaustão se vier comigo", Chike contestou, mas ela insistiu que ia junto e ele teve que ceder.

O grande presente para o qual o senhor Ofulue tinha dado dinheiro era nada menos que uma cama. Era uma bela cama da marca Vono, com um verdadeiro colchão de molas. Aku-nna não sabia nem o que pensar enquanto eles escolhiam os lençóis, as cortinas, as panelas e os pratos e o pequeno fogão a óleo. Tudo isso era novidade para ela. Mesmo na casa do pai dela, em Lagos, ela nunca dormia numa cama, exceto quando ficava doente, e aquela cama tinha um colchão de palha coberto com sacos de juta. Se ela tivesse concordado em ser a esposa de Okoboshi na noite anterior, ela teria dormido nesse mesmo tipo de cama, ainda que a de Okoboshi tivesse sido feita em Ibuza e fosse bastante estreita em comparação a essa. Ela estava tão constrangida que desejou não ter ido com Chike no fim das contas, mas ele estava cheio de confiança, pedindo que ela se sentasse num colchão, experimentasse outro, perguntando se ela gostava da que tinha a cabeceira de ferro ou a de madeira. Eles terminaram por escolher a de ferro, pois, como Chike sabiamente argumentou, eles não sabiam quanto tempo ficariam na cabana de Adegor e, em lugares como aquele, madeira lixada pode atrair insetos. Ele também comprou para ela duas peças inteiras de tecido para lappa, uma com estampas de peixes e a outra localmente conhecida como "Disco de Abada", por causa de seus desenhos de discos de gramofone: era a última moda. Ela agradecia a ele sem parar, de novo e de novo, até que ele a fez prometer que nunca mais diria um obrigada. Ele acariciou a bochecha dela ao dizer isso e viu que ela recuou involuntariamente.

"Bateram em você aí ontem à noite, na bochecha?", ele perguntou, olhando para as pessoas na praça do mercado de Warri. "Esse era um dos motivos pelos quais eu não queria que você viesse comigo aqui, o seu rosto ainda está levemente inchado".

Aku-nna tocou no ponto da bochecha; sim, ainda doía, mas ela tentou ignorar, feliz de estar livre. Ela implorou que ele comprasse um espelho, e ele comprou, fazendo com que ela prometesse não usá-lo até o dia seguinte. Quando se sentaram no caminhão que os levaria de volta a Ughelli, ele mais uma vez perguntou se a tinham machucado muito de noite. Ela estremeceu, ele notou, mas ela evitou a pergunta e pediu que só falassem sobre isso depois dele ter se encontrado com seus futuros empregadores. O motorista concordou em esperar dez minutos enquanto Chike ia ao escritório.

O motorista começou a esbravejar com Aku-nna quando Chike estava fora há exatos trinta minutos, mas ela pediu que ele fosse paciente com eles. Eles estavam prestes a se casar, ela explicou: ele não estava vendo todas as coisas de luxo que eles estavam levando para casa? No fundo, o motorista teria esperado duas horas se fosse necessário, pois ele sabia que não era todo dia que teria a chance de dar uma ajuda a pessoas com tanto dinheiro e um futuro brilhante. Foi um Chike orgulhoso que enfim saiu do escritório da empresa. Ele veio correndo e a agarrou de modo exuberante, o que doeu um pouco; sim, o corpo dela estava cansado. Ela perguntou o que tinha acontecido e ele contou a todos que ele deveria começar a trabalhar na próxima terça-feira, "daqui a exatamente cinco dias". Aku-nna nem acreditava na sorte deles e, ao mesmo tempo, ela começou a ser invadida pelo medo. As coisas estavam dando certo demais e rápido demais para eles, e ela rezou em silêncio para que Deus os ajudasse a manter sua felicidade. O motorista recebeu duas garrafas de cerveja lager Star do pacote que eles haviam comprado e isso o fez esquecer o atraso. Do nada, o motorista se tornou um profeta e disse a eles que previa apenas felicidade para os dois.

"Quem disse que o casamento não é um mar de rosas?", ele gritou. "O que você semeia no casamento você colhe! Se um casal plantou sementes de rosa, o casamento pode ser um campo de rosas, e poderia ser um campo de espinhos caso eles tivessem plantado espinhos". Ele podia ver que estavam semeando rosas, pois não tinham comprado a melhor cama da cidade? Ele disse que batizaria a cama para eles e, conforme o prometido, quando descarregou a cama na frente da casa nova, ele derramou meia garrafa de cerveja sobre ela.

"Claro, esse não é um batismo de verdade", ele disse. "Esse vocês mesmos vão fazer de noite, quando estiverem sozinhos".

Adegor, que estava voltando do campo para casa, se uniu ao entusiasmo do momento. As pessoas não faziam batismo sem dar nomes, Adegor disse, e perguntou ao casal como eles iam chamar a cama. Aku-nna quase caiu de tanto rir e Chike disse que ele nunca tinha ouvido falar de uma cama com nome antes. Então Adegor mandou buscar algumas nozes-de-cola e rezou ali na varanda da casa de palha para que o Senhor abençoasse a cama com muitos filhos e que aqueles que dormissem nela encontrassem total contentamento um com o outro.

"Portanto, eu batizo essa cama de 'Alegria'!"

Todos riram e aplaudiram, e Aku-nna pôde conhecer muitos dos vizinhos. Por muito tempo, nenhum deles soube seu verdadeiro nome, mas ela era conhecida como "a moça que dorme na cama dourada".

Os atos do amor, para surpresa de Chike, não foram naturais para nenhum deles. Aku-nna, a princípio, tentou evitar. Antes de mais nada, ela queria um banho, depois ia escutar um pouco do rádio Bush que eles tinham comprado, e depois ia fazer isso e aquilo. Quanto a Chike, no momento em que ele estivera cumprindo o papel de resgatá-la de Okoboshi, tudo tinha parecido muito fácil. Ele faria dela sua esposa, não importava o que tivessem feito com ela. Estava muito claro naquele momento. Ele tinha que admitir que a fé dele tinha vacilado quando chegou a notícia de que ela não era virgem, mas ele ainda sabia que precisava tê-la, mesmo que estivesse esperando o filho de Okoboshi. O pai dele tinha sido perspicaz o bastante para alertá-lo dessa possibilidade: ele disse que nunca se deve censurar uma mulher por algo que tinha acontecido no passado, era o futuro que importava. E Chike disse ao pai que tudo que ele queria era o coração da garota e a felicidade e, se ele tivesse isso, não ia precisar de quase mais nada.

Essa conversa tinha ocorrido na noite anterior. Mas na noite de hoje, ele ia fazer amor ou com a garota inocente que ele conhecera meses antes, ou com uma mulher que tinha sido tão violentamente usada que não suportava nem falar sobre isso. Ele teria se sentido melhor se fosse possível conversar sobre o assunto, mas ela não queria. Quando a música no rádio se apagou, ele a puxou da cadeira que Adegor tinha emprestado para eles.

"Lembra do que o motorista disse? Bom, não podemos decepcioná-lo", ele sentia que sua velha confiança estava voltando.

"Eu sei", Aku-nna respondeu com a boca trêmula e os dentes se batendo como se estivesse gripada. "Só estou com medo, só isso".

Ele quase teve vontade de dizer: "Você pode não ser muito experiente, minha menina, mas certamente nós dois sabemos que não sou o primeiro", mas ele se lembrou do conselho do pai. Em vez disso, ele falou:

"Venha, minha riqueza, vou aquecer você e fazer o medo passar". Ele queria logo acabar com a primeira experiência com ela, para que então pudesse se concentrar em simplesmente amá-la pelo que ela era, a única garota na vida dele. O que importava que ele não era o primeiro homem? Ele se admirava que ela tinha apenas dezesseis anos. Sim, ele próprio tinha vivido suas aventuras em Ibuza, mas em geral foram com mulheres adultas que já tinham seus maridos.

Ela agora tremia tão intensamente que até ele estava ficando perturbado. Alguma coisa no desamparo dela despertou a bondade nele.

"Não vou machucar você", ele disse firme. "Só relaxe. Como um homem poderia machucar o ar que ele respira, a alegria da sua vida, sua própria essência..."

Assim ele continuou sem parar, murmurando doces delicadezas para ela, até que de súbito ele se deu conta de que a dificuldade para penetrá-la era real. Ele fez várias tentativas e, numa delas, ela gritou com tanta dor que ele parou.

"Mas por quê?", ele teve que perguntar. "Você não é virgem..."

Aquilo foi como um balde de água fria sobre ela. "Mas eu sou", ela respondeu com orgulho. Ela podia vir de uma família pobre, mas ela nunca desonraria o homem que amava. "Eu estava esperando para que você me ensinasse".

Chike se sentou e a encarou. "Mas Okoboshi disse..."

"Desculpe, eu tive que dizer isso pra escapar dele. Eu até disse que tinha sido com você. Eles não contaram essa parte?".

"E você passou por todo aquele sofrimento por causa de nada, sabendo que era inocente?".

"Eu amo você, Chike. Por favor, me ensine a te fazer feliz".

"A sua família precisa saber disso", ele disse. "Temos que limpar o seu nome. Meu pai precisa saber. Isso é um escândalo".

"É necessário tudo isso? Já que agora você sabe, é mesmo tão importante que eles também saibam? Apenas dê o preço de noiva em paz, porque você conhece o ditado: se o preço de noiva não for pago, a noiva morre no parto".

Ele estremeceu ao ouvir isso e teve vontade de chorar, lembrando da imagem dela parada no riacho, como uma jovem viúva numa lappa velha.

"Me ensine", ele a escutou dizer sonolenta.

Foi mais difícil e mais doloroso do que ela esperava, mas de manhã os dois se sentiam melhor. Ela ainda estava tímida com ele por sua própria franqueza, mas ele, de sua parte, tentou incentivá-la a falar dos desejos dela. Logo ela aprendeu como ele queria que ela lhe desse prazer.

Em Ibuza, havia pouca alegria quando se falava em Aku-nna. Assim que Okoboshi percebeu que ela tinha fugido, e com seu velho inimigo, ele disse aos pais não apenas que tinha dormido com a garota na noite anterior e descoberto que ela estava oca, mas que ele tinha cortado um cacho do cabelo dela — alguns fios de cabelo perdidos foram apresentados como prova — e, então, de acordo com as leis e costumes, ela não podia abandonar o marido. Isso gerou longas discussões, e muitos dos parentes de Aku-nna ficaram furiosos com os Ofulues. Eles perguntaram abertamente se eles tinham esquecido quem eram e os acusaram de arruinar a vida de uma jovem inocente. Agora ela nunca poderia retornar a Ibuza porque tinha cometido uma abominação. Alguns anciãos, entretanto, observaram que desde que Okonkwo não aceitasse nenhum preço de noiva vindo do escravo, a garota ainda pertencia a Okoboshi, pois ninguém em sã consciência usaria a mesma medida para julgar os atos de um escravo e os atos do filho de um homem livre. Isso frustrou Okoboshi, pois ele queria que Aku-nna não retornasse nunca mais a Ibuza com seu amante escravo. Houve ameaças contra as irmãs de Chike e seus pais. O pai dele não temia pela própria vida, mas enviou todas as garotas da família para longe até que as coisas esfriassem. Eles se vingaram dele de outra forma.

Anos antes, quando o senhor Ofulue tinha se aposentado como diretor da escola, ele retornara a Ibuza, sua cidade natal. Ele aceitou que era de descendência escrava e que isso seria mal visto pelas pessoas, mas não se incomodou. Ibuza era a única cidade na qual ele tinha raízes. Ele plantou sementes de cacau, palmas e coqueiros na terra que comprara, e isso causou grande inveja quando as pessoas começaram a ver que ele colhia os frutos do seu trabalho. Essa plantação era um ponto vulnerável de Ofulue, e foi ali que ele foi atingido. Um dia ele simplesmente acordou e se deparou com todas as suas plantas derrubadas. O choque não matou o velho homem. Se dependesse dele, teria deixado o assunto de lado, já que não seria possível descobrir o culpado, mas os filhos dele não concordavam. Eles podiam não ser capazes de apontar o responsável, mas tinham uma ideia de quem teria imaginado o plano. Então os filhos e as filhas de Ofulue juntaram seus recursos e processaram a família Obidi.

Todos em Ibuza se apresentaram como testemunhas contra os Ofulues. Mas a lei era baseada na justiça inglesa, que não permitia escravos, então o povo de Ibuza perdeu o caso e eles foram obrigados a compensar a família Ofulue em espécie. Os homens livres tiveram que plantar novos cacaueiros para o escravo, e as pesadas multas foram devidamente pagas. Isso não melhorou em nada a relação entre as pessoas da cidade e a família Ofulue. E pragas foram igualmente rogadas contra a família que tinha começado tudo, a família de Okonkwo.

Isso estava fazendo mal a Okonkwo. Aku-nna, a filha do seu irmão, tinha trazido desgraça não apenas para a sua família, mas também para toda a cidade. Ele ficou muito doente. Os oráculos sabiam a causa da sua doença. Perguntaram a ele: "Por que você permitiu que uma garota sob os seus cuidados cometesse atos tão abomináveis?". Okonkwo esqueceu sua ambição pelo título Eze e lutou por sua vida e pela vida da sua família direta. Ele teve sua desforra com Ma Blackie. Em Ibuza, se um homem se divorciasse ou não quisesse mais sua esposa, ele dava as costas para ela em público; e foi isso que Okonkwo fez, numa noite em que a febre o estava consumindo tão ardentemente que ele mal sabia o que estava fazendo. Ele caminhou como um homem cego de raiva direto para a cabana de Ma Blackie e gritou, convocando todos os seus ancestrais como testemunhas. Ele tirou a tanga que vestia e virou suas costas nuas na direção de Ma Blackie. Os parentes e amigos dele que estavam por perto cobriram os rostos de vergonha, pois isso não era algo comum de ser feito pelos homens de Ibuza. A mente transtornada de Okonkwo devia estar levando ele à loucura.

Era sabido em Ibuza que, se você queria se livrar de alguém que morava longe, você fazia um pequeno boneco igual à pessoa e furava o coração do boneco com uma agulha, ou então colocava fogo no boneco e o deixava queimar aos poucos. Era evidente que isso funcionava, apesar de ninguém ter certeza, pois aqueles que conheciam a arte não a submetiam a investigações científicas; a vítima geralmente morria, lenta e dolorosamente. Então não foi surpresa para Ma Blackie encontrar, quando caminhava casualmente uma manhã, a imagem da sua filha na frente do chi, o deus pessoal, de Okonkwo. Ela chorou em silêncio pela filha e teve que ceder ao pedido secreto de Chike de que Nna-nndo fosse a Ughelli. O menino estava totalmente disposto a ir para a irmã, especialmente agora que os Ofulues tinham assumido a responsabilidade de dar à mãe dele algumas libras por mês. Isso a tinha deixado mais independente e ela estava vivendo com muito mais conforto que suas antigas amigas e colegas. Mas, apesar disso, ela se preocupava com a sua filha e sabia que, a não ser que algo drástico fosse feito para impedir, Okonkwo estava determinado a matar a menina. Ma Blackie sabia exatamente o que fazer. Ou ela pagaria Okonkwo para que tirasse a imagem do chi, ou o ameaçaria descaradamente mostrando uma imagem dele próprio com agulhas cravadas. Agora ela tinha suficiente dinheiro para pagar os curandeiros feiticeiros para fazerem isso por ela e, se eles percebessem que ela tinha o apoio da rica família Ofulue, ela poderia contar com eles para ajudá-la a vencer. Enquanto isso, ela só podia rezar ao Deus dos cristãos para que a guiasse com segurança no parto do seu bebê e para que fizesse as pessoas de Ibuza esquecerem logo o que tinha acontecido. Ela não precisava ter se preocupado com a última parte, pois, quando viram como ela estava bem de vida, todas as suas amigas voltaram a se aproximar. Elas suspeitavam de onde vinha o dinheiro dela, mas, depois do recente caso na justiça e das altas multas que tiveram que pagar, ninguém falava nada.

Em Ughelli, Aku-nna e o seu marido estavam aproveitando o que parecia ser uma lua de mel interminável. Nna-nndo estava matriculado na escola e crescia a olhos vistos agora que tinha uma alimentação regular e circunstâncias mais abastadas. Depois do casamento no cartório local, Chike e a noiva tinham se mudado para uma casa mais sofisticada, levando a cama "Alegria" com eles. Ainda viviam a uma pequena distância de Ben Adegor e sua esposa, e o motorista bêbado do caminhão tinha se tornado um amigo prestativo e útil. Aku-nna não queria nem ouvir falar de largar sua carreira no ensino agora que Chike estava sendo treinado para ser um gerente na empresa petroleira.

"Eu sei que só me pagam cinco libras por mês, mas isso compra nossa comida e me dá algo pra fazer quando a casa está vazia", ela refletia.

Chike teve que concordar, mas alguma coisa nela o preocupava. Ela era uma esposa amorosa, satisfeita de várias maneiras, mas às vezes parecia que uma sombra de infelicidade passava pela cabeça dela. Ela era muito transparente nas suas emoções, uma daquelas pessoas de quem era fácil ler os pensamentos; ainda assim, sempre que Chike perguntava se havia alguma coisa errada, ela corria até ele, largando tudo que estivesse fazendo, e jogava os braços ao redor do pescoço dele e respondia perguntando se ele estava feliz com ela. Ela tinha esse jeito particular de desviar do assunto e Chike concluiu que talvez essas fases de melancolia fossem simplesmente parte dela.

"Não se pode esperar que uma pessoa seja feliz o tempo inteiro, todos os dias, só porque ela está casada com você".

Então ele a deixou em paz. Ele desconfiava que ela poderia estar preocupada porque seu preço de noiva não tinha sido pago. O pai de Chike sabia que Okonkwo estava planejando fazer mal à sua nova nora, mas ele escondeu isso dos jovens. Quando Ma Blackie informou sobre a imagem de Aku-nna no chi em frente à casa de Okonkwo, ele a fez prometer que não contaria nada à filha.

"A maioria dessas coisas causa pouco dano se a vítima pretendida não souber delas", ele disse do alto de sua experiência.

Ainda assim, a persistência de Chike o tinha levado a oferecer a Okonkwo um preço de noiva de cinquenta libras, o dobro do que o costume de Ibuza estipulava originalmente, antes da soma ser inflacionada por pais ambiciosos. Okonkwo tinha recusado e, para ofender ainda mais, deixou claro a Ofulue que ele não tinha dado sua filha a nenhum escravo. Ofulue pensou em oferecer o dinheiro de novo no futuro, quando os ânimos tivessem acalmado. Ele então ofereceria cem libras e, conforme confidenciara a seu filho numa carta, ele tinha certeza de que Okonkwo aceitaria. Era um otimista incurável, o senhor Ofulue.

Chike contou essas notícias desalentadoras para Aku-nna do jeito mais delicado que pôde. Ele deixou de fora os detalhes intragáveis e rapidamente destruiu a carta. Ela chorou um pouco e murmurou:

"Me pergunto por que as pessoas se odeiam assim. Você acha que o meu próprio pai teria sido tão amargo?".

"Não, meu amor, o seu pai não poderia ter sido tão amargo. Seu irmão, Nna-nndo, deve puxar a ele; ele é terrivelmente genioso, mas não guarda rancor por muito tempo. Seu tio é diferente. Ele é um homem frustrado".

Ela sorriu em meio à tristeza diante da lembrança do pai, com aquela voz diminuta, e lembrou do dia em que ele tinha jogado um copo contra o tio Uche, quase cortando fora a orelha dele. Ainda assim, quando ele soube que podia morrer, foi a esse extravagante sobrinho que ele disse a verdade, não aos seus filhos, pois ele sabia que eram jovens demais. Ela pousou a cabeça sobre o ombro do marido e ele a amou até que ela dormisse.

Mas seus períodos de silêncio continuavam. Então, numa tarde, ele voltou do trabalho e foi recebido à porta por Nna-nndo em vez de Aku-nna, que geralmente corria para ele. Chike imediatamente perguntou onde ela estava.

"Ela voltou mais cedo da escola porque estava com dor de cabeça", Nna-nndo explicou. "Ela está dormindo".

Sim, ela estava dormindo. Ao vê-la deitada, tão pequena e frágil, como uma criança, Chike notou que ela não tinha ganhado peso algum. Ele achou estranho. Nna-nndo tinha quase dobrado de tamanho desde que viera morar com eles, mas Aku-nna não progredia. Na verdade, ele tinha notado nas últimas semanas que ela estava se cansando cada vez mais rápido. Quando eles faziam amor, ela o aceitava de modo gentilmente prazeroso, mas era ele quem tinha que procurá-la e fazer tudo. Não tinha sido assim no começo. Na maioria das vezes, ela o provocava até ele rir e dizer a ela que só cederia se ela tivesse se comportado muito bem durante o dia. Era como um joguinho que eles tinham inventado, e ele gostava. Agora ela sempre esperava que ele pedisse e caía no sono imediatamente depois; em algumas manhãs, ela estava até cansada demais para levantar no horário de sempre. Ele sentou na beirada da cama, então, ao lado dela. Tocou na cabeça dela e estava tão quente que ele arfou com um leve assobio de preocupação.

Ela abriu os olhos e disse: "Bem-vindo. Desculpe ter dormido demais e não ter te recebido na porta. Já comeu? Pedi a Nna-nndo que preparasse a comida pra você. Não me sinto muito bem".

Ele beijou sua testa quente. "O que é? Aquela outra dor?". Ele tentou colocar alguma leveza na situação que começava a preocupá-lo.

"Não", ela respondeu, sorrindo com dificuldade. "Pensando bem, eu não tenho aquela faz um bom tempo. Desde o Natal. E aquela dor era sempre na parte de baixo das minhas costas, não na cabeça".

"Me perdoe, eu nunca aprendo", ele se desculpou brincalhão. Então ele segurou o pulso dela e franziu o rosto. "Você disse que a última vez foi no Natal?".

"Acho que sim. Você se lembra, depois da festa no seu escritório, nós dois bêbados. Você lembra".

Sim, ele lembrava bem, pois ela havia manchado um vestido que os dois tinham esperado que ela usasse. Por sorte, ele notou antes de todo mundo e então teve que fingir que eles estavam bêbados como desculpa para levá-la correndo para casa. Ele lembrava.

"Olha, Akum, isso foi três meses atrás. Você não deveria ter todos os meses?". Ele a olhou de perto e então exclamou: "Não é possível que você esteja grávida, é?".

"Não vejo por que não seria", ela riu, cobrindo o rosto com o lençol. "A senhora Adegor disse que acha que sim quando me viu em casa essa tarde. Espero que ela esteja certa, porque vou ficar muito feliz de ter um filho. Você não vai ficar feliz também?".

"É claro, eu vou ficar muito feliz. Eu já estou muito feliz, então vai ser um bônus". Ele a sentou, repousou a cabeça febril dela sobre o seu ombro e, como qualquer casal prestes a serem pais, eles planejaram que nome dariam ao seu filho. Na opinião de Chike, ia ser um menino, e ela esperou que sim, mas perguntou hesitante se ele ficaria decepcionado caso fosse uma menina.

"Não vou me incomodar com uma menina. É só que as pessoas vão pensar que faço amor com você dia e noite, porque as meninas são bebês de amor. E quero que nosso amor seja privado".

Aku-nna riu então. "Nesse caso, vou rezar por uma menina, mais uma e mais uma e ainda outra. Vou ter um menino quando você tiver quarenta anos".

"Você é uma bruxa".

Ele enveredou para um assunto mais sério, perguntando o que queria ter abordado antes. Ele queria saber se era apenas o bebê que a estava deixando tão cansada, ou se era a vida que eles estavam levando. Era, afinal, uma vida atarefada, com ela dando aulas a semana inteira, e uma festa atrás da outra nos fins de semana com os colegas do trabalho dele. Ela reconheceu que estava se sentindo mais cansada que o normal e pensava que talvez o bebê fosse o responsável. Ela não tinha cogitado que a gravidez poderia estar por trás disso até aquela tarde, quando a sua cabeça doeu tanto que ela ficou tonta. Suas amigas na escola tinham derramado água fria sobre a cabeça dela, e Adegor, o diretor, a enviara para casa na companhia da esposa.

"Mas por que você não mandou me chamarem?", Chike a repreendeu.

"Desculpe. Adegor sugeriu que eu chamasse, mas, quando eu caí na cama, peguei no sono imediatamente".

O médico da empresa logo confirmou o fato de que um bebê estava a caminho. Ele advertiu, entretanto, que Aku-nna precisava ou mudar completamente a dieta dela ou parar de trabalhar, sob risco de enfrentar problemas.

"Senhor Ofulue, a sua esposa é tão jovem e tão pequena. Ela viveu subnutrida por muito tempo, então você deveria ter dado tempo para que ela se recuperasse depois do casamento, antes de ter um bebê. Ela já tem dezesseis anos?".

"Sim, acabou de fazer", Chike respondeu, sentindo-se mais culpado que nunca. Pensando agora, ele nunca tinha achado que as mulheres engravidassem com tanta facilidade. Nem ela sabia até alguns dias antes. "Ela vai ficar bem?".

"Ah, sim. Mas vocês dois precisam ter cuidado. Ela mal tem sangue suficiente para ela mesma, que dirá para um bebê, mas vamos fazer nosso melhor. Fico feliz que você tenha consultado a clínica desde cedo. Isso pode ser a salvação".

Quando Chike a levou para casa depois da clínica Warri, no Volkswagen que eles tinham acabado de comprar, ela notou que ele parecia incomodado com ela, com o carro, com a estrada, com tudo. Era a última coisa que ela precisava depois dos intermináveis exames e perguntas na clínica, mas ela não tinha vontade de questionar o que o afligia. O ar estava fresco naquela noite e, no caminho de volta, ela pegou no sono.

Ela queria continuar no emprego. Essa foi a causa da primeira briga de verdade que eles tiveram.

"Eu devo continuar trabalhando para contribuir com o que você gasta com a minha família". Ela se abraçou nele, suplicando que a deixasse ficar na escola, mas ele a empurrou até uma cadeira.

"Quer dizer que você quer continuar até que o seu preço de noiva esteja pago", ele grunhiu sarcasticamente. "Por que não disse logo? Quantas horas você gasta pensando na sua família, na sua mãe, seu tio? Você pensa tanto neles que às vezes acho que eu nem existo pra você. Você já se perguntou como seria pra mim se você ficasse doente, talvez até doente demais pra cuidar do nosso filho? Vou garantir que o preço de noiva seja pago, nem que seja a última coisa que meu pai faça por mim. E você não vai morrer e me deixar. Entendeu?".

Ela estava com medo agora. Ela ia morrer? O médico tinha dito isso?

"Por favor, me diga", ela chorou alto, "por favor, meu marido, me diga. O médico disse que vou morrer? Era por isso que você estava tão chateado? Era por isso..."

Ele voltou até ela, arrependido, e a envolveu nos seus braços, beijando a cabeça dela. "Não, me desculpe, eu só estava manifestando meus próprios medos. O médico não disse isso, mas ele deu a entender que, se não tivermos cuidado, as coisas podem não sair como desejamos. Não quero que nada aconteça com você: não vê que você é meu coração? Por favor, não me faça brigar com você".

Meses depois, Aku-nna se perguntava como tinha pensado que ia conseguir equilibrar as aulas e os cuidados com o irmão e o marido. O bebê estava lhe dando muito trabalho. O enjoo pelas manhãs e a perda de apetite duraram meses; ainda não tinha recuperado o apetite mesmo que já estivesse no sexto mês de gravidez. Ficava triste por causar tanta ansiedade ao seu jovem marido. Os olhos dele pareciam preocupados e angustiados toda vez que ele fazia amor com ela, o que ele fazia com delicadeza, como se ela fosse um ovo que pudesse quebrar sob qualquer pressão. Ele tinha até contratado uma garota local para vir cozinhar para eles.

Tudo que Aku-nna tinha que fazer era só organizar o andamento harmonioso das coisas, ler todos os romances leves que ela encontrasse e comer alimentos que fortalecessem seu sangue. O irmão de Chike, que era ginecologista, tinha parado para uma visita a caminho de Ibuza e confirmou o que o outro médico dissera.

"É quase como se alguma coisa estivesse drenando o sangue dela", ele confidenciou ao irmão em desespero.

"Mas o que é? A maioria das garotas da idade dela em Ibuza tem filhos. Por que haveria de ser tão doloroso justo para a garota que amo? Ela está ficando cada dia mais fraca conforme o bebê cresce dentro dela".

"Não se preocupe. Se a coisa ficar difícil, eles sempre podem operar e salvar tanto a mãe quanto a criança. E não esqueça que a maioria das meninas dessa idade que têm bebês em Ibuza sobrevive, mas um quarto delas ainda morre por falta de tratamento e por consequência da subnutrição na infância. A sua esposa poderia passar por alguém de catorze anos. Você deveria ter esperado, como disseram, mas é tarde demais para falar disso agora. Depois desse filho, é melhor ela não ter mais nenhum até os vinte e dois anos".

Chike deu uma risada curta e amarga. "A ironia é que nós nem planejamos esse. Só aconteceu. Nunca pensei que ela poderia estar grávida. Ela é tão jovem, talvez por isso nos descuidamos. Ela mesma nem percebeu que estava grávida até uma amiga dizer".

"Eu não me preocuparia ainda. Ela está em boas mãos e muito feliz", observou o irmão.

"Aku-nna em nenhum momento deixou de estar feliz. Ela ficou um pouco tensa às vezes, mas ela é uma esposa contente e que se satisfaz com facilidade", Chike se gabou.

"Você tem sorte. Ela vale a batalha que você precisou enfrentar por ela. Ela é muito bonita, ainda mais grávida. Gosto dela, então, por favor, cuide bem dela e garanta que faça tudo que mandarem". Esse foi o conselho do filho mais velho da família Ofulue.

Em casa, em Ibuza, Okonkwo foi novamente abordado com a proposta do preço de noiva, mas ainda se recusou a consentir em dar sua filha a um escravo. Quando alguém — ninguém sabia quem — tirou o boneco que se parecia a Aku-nna da frente do seu chi, ele esbravejou e rugiu como um animal, e estava determinado a fazer outro. O novo foi feito por um preço muito alto, pois seu objetivo era chamar Aku-nna de volta de Ughelli, pelo vento.

O velho pai de Chike veio a Ughelli passar um tempo com o filho e a nora e ficou emocionado ao vê-los tão felizes. Ele sabia que Aku-nna estava carregando o bebê com grande dificuldade, mas eles não deixaram que isso estragasse a alegria do reencontro. Ela e o velho Ofulue passaram longas tardes, enquanto Chike estava no trabalho, conversando e rindo, e Ofulue era sábio o bastante para lembrá-la de quando deveria parar e descansar, e ele contava histórias engraçadas de Ibuza. Naqueles dias, foi sempre uma jovem esposa excepcionalmente feliz que recebeu Chike à porta na volta do escritório.

Quando chegou o momento de Ofulue ir embora, Aku-nna se viu abraçada a ele em desespero.

"Espero vê-lo de novo, Pai. Eu sei que meu tio não quer aceitar nunca o preço de noiva. Ele me chama de volta pelo vento, quando estou sozinha. Mas eu jamais responderei. Não quero morrer, Pai".

Ofulue a abraçou, tentando acalmar o coração acelerado. Ele olhou por cima da cabeça dela para o filho, que estava ao lado do carro esperando por eles. Chike não podia ouvir o que Aku-nna estava dizendo, mas, quando ele percebeu que ela estava chorando, se aproximou e a afastou do seu pai.

"Depois que o bebê nascer", ele a consolou, "nós vamos pra casa juntos. O Pai vai esperar por nós".

Aku-nna baixou os olhos como se tivesse traído seu marido. Ela se forçou a acenar conforme o carro se afastava. Tinha medo agora de ficar sozinha. Uma e outra vez, ela ouvia essa voz chamando, dizendo que ela precisava voltar para sua família, para sua gente. Agora que o pai de Chike tinha ido embora, ela não sabia o que ia fazer naquelas longas horas solitárias quando a voz a chamava. Ela tinha desistido de ler, pois não conseguia mais se concentrar desde que os movimentos do bebê tinham se tornado mais fortes e mais frequentes. No começo, os chutes causavam uma sensação agradável, mas, com o decorrer dos dias, ela estava achando-os levemente dolorosos e desconfortáveis. Ela não conseguia dormir, por mais que tentasse. Tinham lhe dado comprimidos para dormir, mas, com o pavor causado pela voz e os chutes do bebê, o descanso passava longe dela.

Chike reagia aos seus humores e sofrimentos, ainda que evitasse falar deles, exceto quando ela trazia o assunto à tona. Todas as noites, eles rezavam juntos para pedir a Deus que os ajudasse a atravessar essa fase difícil. Mas os medos dela persistiam, tanto que ela começou a falar alto nos seus breves períodos de sono. Ela de repente acordava no meio da noite, banhada de suor, implorando a Chike que a segurasse porque alguém, o tio dela, estava tentando levá-la embora.

"Por favor, meu marido, não deixe que ele me leve! Por favor, não, por favor!".

Chike com frequência conseguia acalmá-la ao dizer que ela só estava nervosa, que era tudo culpa da pessoinha dentro dela. Ele garantia que muito em breve tudo teria passado, faltavam menos de dois meses. Seguido ela voltava a dormir nos braços dele, que acariciava sua barriga agora enorme, cuja pele estava tão esticada que ele podia imaginar o desconforto que ela devia estar sentindo quando fazia força para respirar. Tudo nela parecia esticado a ponto de estourar. Nos seus braços, as veias saltavam para fora. O ciclo de sono tranquilo durava apenas uma hora ou duas e então ela acordava de novo com o bebê se movendo e empurrando ferozmente dentro dela. Ela chorava baixinho até que a dor aliviasse e tentava voltar a dormir.

Essas noites tinham se tornado tão comuns que Chike não ficou surpreso quando, depois de um grito particularmente agonizante, ela desmaiou. Ele levou horas para reanimá-la e, quando ela enfim abriu os olhos, foi como se o bebê começasse a reivindicar seu direito de sair. Na primeira vez que ocorreu um ataque desses, já passava das onze da noite, e ela depois se afundou num sono exausto.

"Não desista, minha pequena sofredora, por favor, não desista", ele sussurrou para ela. "Nós já passamos por tanta coisa, por favor, não desista".

Ela apertou a mão dele e sorriu sonolenta. Assim que ela parecia estar calma o bastante para ser deixada sob os cuidados do seu irmão mais novo, Chike saiu para ligar para o médico. Ele não quis perder tempo. Ela precisava ser levada ao hospital imediatamente.

Tudo aconteceu como se fosse num sonho. Chike abriu espaço e observou homens desconhecidos erguerem a esposa dele e a colocarem na ambulância, viu eles a cobrirem com seus cobertores vermelhos horríveis. Ele sentou ao lado dela, segurando sua mão úmida, sentindo cada tremor conforme ela suava e atravessava as dores. No hospital, ele soube a verdade. O parto seria uma cesariana. Garantiram a ele que esses partos não apresentavam mais tantos riscos quanto antigamente. O bebê seria prematuro, mas tudo ficaria bem.

Ele esperou numa das cadeiras no saguão do hospital. Sentou ali sem ver nada ao redor, e a sua memória voltou para o dia em que ele conheceu uma garotinha de uns treze anos voltando de Lagos com a família: uma garotinha que era tão tímida que mal conseguia dizer uma palavra. Uma criança inocente que ainda não tinha vivido nada. Ele lembrou do dia em que comprou os móveis deles, o dia em que eles escolheram a cama, e como eles tinham cuidado de cada moeda até ele receber o primeiro salário. Lembrou da fuga e do medo de que Okoboshi a tivesse machucado. Ele chorou baixinho e lágrimas corriam pelas suas bochechas.

Uma mão pousou de leve sobre seu ombro, e a mão estava trêmula, pois o dono também estava chorando. Era Nna-nndo. Ele tinha percorrido as sete milhas até o hospital na bicicleta que usava para ir à escola, por não suportar ficar para trás. Ele agora sentou ao lado do cunhado que, a seus olhos, tinha se tornado o homem ideal, seu herói, o tipo de homem que ele esperava se tornar quando crescesse. Os últimos meses que Nna-nndo tinha morado com eles o tinham inspirado a buscar uma vida melhor. Ele tinha deixado para trás a vida árdua de Ibuza e era grato a Chike e à sua irmã por tornarem possível essa nova existência. Era terrível demais contemplar o pensamento de que tudo podia estar acabando. Se algo acontecesse com a sua amada irmã, todas as coisas mudariam para ele. Ele perderia uma pessoa que tinha sido quase como um anjo da guarda para ele e sua vida inteira seria jogada no caos. Com tudo isso passando pela cabeça, Nna-nndo sentou em silêncio ao lado do cunhado.

Chike não disse nada ao olhar para ele de perfil. Igual à irmã. Engraçado que ele não tinha notado antes como eles eram parecidos, especialmente os olhos grandes, agora tão perturbados no rosto de Nna-nndo. Ele desviou o olhar ao ver que o menino estava chorando.

Eles não ficaram assim por muito tempo. Um médico ou cirurgião — Chike a princípio não conseguiu discernir porque seus olhos ainda estavam úmidos — ficou parado na porta do saguão parecendo indeciso. Então ele se aproximou e se apresentou timidamente como senhor Wood. Ele era o cirurgião encarregado do setor de obstetrícia do hospital.

"Senhor Ofulue?", ele perguntou com as sobrancelhas erguidas. "Por favor, me acompanhe".

Chike o seguiu como um sonâmbulo. Quando estavam na porta, o cirurgião parou e disse:

"Ela passou pela operação. Ainda não está consciente e temo que ela provavelmente não vá recobrar a consciência. Sinto muito. Nós fizemos tudo que foi possível, mas ela estava numa condição extremamente anêmica. Não sei como ela conseguiu ficar viva até agora. Eu imagino que o senhor queira ficar um pouco com ela. Não sabemos até quando ela vai ficar assim". Ele apontou a porta para Chike e então sussurrou: "Você tem uma filhinha. Ela está abaixo do peso, mas se saindo bem".

Chike não esboçou reação. Então passou por ele e entrou rapidamente no quarto artificialmente limpo e branco, sentindo como se entrasse num santuário. O cirurgião saiu e ele ficou sozinho com Aku-nna.

Sua primeira reação foi o espanto com a irrealidade da situação. Aqui estava ela deitada, imóvel, os olhos fechados, o rosto sereno, o corpo não muito maior que o de uma criança, e todas as suas dores tinham passado. Ele não a via assim havia muito tempo. Agora ela finalmente estava em paz e, por um breve segundo, pleno de uma ilusão de alívio, ele se sentiu melhor. Pelo menos ela não sentia mais dor.

Ele pegou a pequena mão que repousava sobre o lençol e segurou. Então aproximou os lábios e a beijou, notando como estava ressecada, como estava diferente da habitual mão úmida e viva da sua amada. Aku-nna estava morrendo e ele sabia. Ele tinha que chamar Nna-nndo; os dois deveriam ficar perto dela até o fim.

Eles se sentaram ali. Chike na beirada da cama, ainda segurando a mão inerte, e Nna-nndo numa cadeira próxima, alternando o olhar entre um e outro. A aurora estava chegando quando a mão se mexeu levemente.

Um sorriso fraco, mas reconhecível, surgiu nos lábios de Aku-nna, e então ela falou, muito nitidamente:

"Posso sentir você aqui, meu marido. Eu sei que você está aqui". Devagar, ela abriu os olhos. Eles brilhavam intensamente, aqueles olhos, brilhantes demais para serem deste mundo. O tom marrom deles se misturava com algum tipo de fogo angelical que os deixava ainda mais bonitos.

Nna-nndo, ao ouvir a voz dela, chegou mais perto, e ele também sorriu, triste e hesitante.

"Não se preocupe, irmão", ela disse, agora vacilante. "Esse não é o fim do caminho para você. É o começo. Nosso tio não vai mais incomodar você nem nossa mãe pelo preço de noiva. Meu marido vai cuidar de você pelo tempo que ele puder. Ele é um bom homem, e Deus nos abençoou com ele".

Nna-nndo enterrou a cabeça no travesseiro da irmã e começou a chorar. Aku-nna quis chorar também, mas um tipo estranho de tosse a impediu. Ela segurou a barriga e tentou erguer a cabeça, mas não conseguiu. As mãos dela sacudiam no ar impotentes enquanto ela lutava por ar. Chike a segurou suavemente até que os espasmos acabassem, e ela relaxou e desabou nos seus braços. Ele moveu os olhos pedindo a Nna-nndo que se afastasse e começou a secar a testa da esposa, subitamente úmida.

"Meu marido e minha rocha. Seja feliz, por mim". A voz dela agora tinha ficado fraca e quebradiça, como a de alguém falando enquanto dorme. Mais uma vez ela abriu os olhos. "O que nós tivemos?".

"Uma menininha", ele respondeu no ouvido dela.

Então uma espécie de luz interior, que parecia desafiar até a morte a extingui-la, se espalhou pelos seus traços jovens e cansados. O seu senso de humor voltou e ela exclamou com muita força, de fato com toda a força que restava no seu corpo:

"Eu avisei. Eu disse que não ia manter nosso amor em segredo. Agora, com a nossa menininha, todo mundo vai saber. Todos vão saber como nos amamos apaixonadamente. Nosso amor nunca vai morrer. Vamos chamá-la de Alegria também, o mesmo nome que demos à cama na qual ela foi concebida". A voz dela ganhou um tom de súplica. "Por favor, prometa que você vai chamá-la de Alegria... Prometa que você vai ser feliz, porque você me fez tão feliz, tanto".

A voz dela tinha se reduzido a um suspiro e então desapareceu quando ela pareceu perder a consciência de novo. Chike tomou o corpo inteiro dela nos seus braços e beijou suavemente sua boca trêmula.

"Boa noite, meu amor. O nome da nossa filha será Alegria".

Um sorriso moveu o rosto dela de novo, um sorriso quase sobrenatural, e ela agarrou fervorosamente a camisa dele. A mão começou a tremer e gradualmente se soltou quando ela deu seu último suspiro. Ele sabia que ela havia partido. Mas ele ainda a segurou com ternura perto do coração.

Um galo madrugador estava cantando em algum lugar, ele soava remoto e solitário na manhã vazia. Outro galo respondeu no terreno do hospital.

O cirurgião entrou no quarto. Ele ajudou Chike a desprender seus braços do corpo da esposa e disse: "É hora de ir agora. Ela está em paz". "Ela vai se chamar Alegria", Chike disse ao soltá-la.

Foi assim que Chike e Aku-nna comprovaram a superstição tradicional que eles tinham inadvertidamente se proposto a erradicar. A todas as garotas nascidas em Ibuza depois da morte de Aku-nna, contavam a história dela para reforçar os velhos tabus da terra. Se uma garota quisesse uma vida longa para ver os filhos dos seus filhos, ela tinha que aceitar o marido que sua gente escolhia para ela, e o preço de noiva devia ser pago. Se o preço de noiva não fosse pago, ela nunca sobreviveria ao parto do primeiro filho. Era um controle psicológico sobre todas as meninas, que continua a existir, mesmo diante de toda modernização, até os dias presentes. Por que razão isso é assim, como dizem, ninguém sabe.

Leia mais Buchi Emecheta

AS ALEGRIAS DA MATERNIDADE

Nnu Ego, filha de um grande líder africano, é enviada como esposa para um homem na capital da Nigéria. Determinada a realizar o sonho de ser mãe e, assim, tornar-se uma "mulher completa", submete-se a condições de vida precárias e enfrenta praticamente sozinha a tarefa de educar e sustentar os filhos. Entre a lavoura e a cidade, entre as tradições dos igbos e a influência dos colonizadores, ela luta pela integridade da família e pela manutenção dos valores de seu povo.

"Eu amo esse livro por sua vivaz inteligência e por um certo tipo de compreensão honesta, viva e íntima da classe trabalhadora na Nigéria colonial."

Chimamanda Adichie

CIDADÃ DE SEGUNDA CLASSE

Na Nigéria dos anos 60, Adah precisa lutar contra todo tipo de opressão cultural que recai sobre as mulheres. Nesse cenário, a estratégia para conquistar uma vida mais independente para si e seus filhos é a imigração para Londres. O que ela não esperava era encontrar, em um país visto por muitos nigerianos como uma espécie de terra prometida, novos obstáculos tão desafiadores quanto os da terra natal. Além do racismo e da xenofobia que Adah até então não sabia existir, ela se depara com uma recepção nada acolhedora de seus próprios compatriotas, enfrenta a dominação do marido e a violência doméstica e aprende que, dos cidadãos de segunda classe, espera-se apenas submissão.

"A prosa de Emecheta tem o brilho da originalidade, da língua sendo reinventada... Questões de sobrevivência estão no âmago de seu trabalho e dão peso às suas histórias."

John Updike

NO FUNDO DO POÇO

Adah, a mesma protagonista de Cidadã de segunda classe, tem que criar e sustentar sozinha os cinco filhos, vivendo no subúrbio de Londres, em um lugar que ela chama de "o fundo do poço". Tentando manter seu trabalho diário e suas aulas noturnas em busca de um diploma, ela se vê às voltas com o serviço de assistência social, que lhes classifica como "família-problema". É onde Adah encontra uma causa comum com seus vizinhos brancos da classe trabalhadora e sua luta contra um sistema social que parece destinado a oprimir todas as mulheres.

"Emecheta escreve com sutileza, poder e compaixão abundante."
The New York Times